Fjodor M. Dostojewski

WEISSE NÄCHTE

Ein sentimentaler Roman

Aus dem Russischen übersetzt und
mit einem Nachwort versehen
von Christiane Körner

Illustriert von Stella Dreis

Insel Verlag

Insel-Bücherei Nr. 1537

© Insel Verlag Berlin 2024

WEISSE NÄCHTE
Ein sentimentaler Roman

(Erinnerungen eines Träumers)

… vielleicht geschaffen, um allein
für einen kurzen Augenblick
ganz deinem Herzen nah zu sein?

Iwan Turgenjew

DIE ERSTE NACHT

Es war eine wundervolle Nacht, eine Nacht, wie es sie wohl nur geben kann, wenn wir jung sind, werter Leser. Der Himmel war so sternenreich, so hell, dass man sich unwillkürlich fragte, wie unter einem solchen Himmel allerlei böse und kapriziöse Menschen leben können. Auch diese Frage ist jung, werter Leser, sehr jung, aber der Herrgott möge sie Ihnen möglichst oft in die Seele senken! … Als ich gerade kapriziöse und allerlei böse Herrschaften erwähnte, fiel mir unweigerlich mein eigenes gesittetes Betragen an diesem Tag ein. Vom frühen Morgen an litt ich unter einer ungewöhnlichen Beklemmung. Ich glaubte plötzlich, alle würden mich, den Einsamen, verlassen, alle mir den Rücken kehren. Nun kann man natürlich mit Recht fragen: alle?

wer ist das? denn ich lebe ja schon acht Jahre in Petersburg und habe noch so gut wie keine Bekanntschaft geschlossen. Doch wozu Bekanntschaften schließen? Ich bin auch so mit ganz Petersburg bekannt; deshalb glaubte ich ja, von allen verlassen zu werden, als ganz Petersburg sich aufmachte und plötzlich auf die Datscha fuhr. Ich hatte Angst davor, allein zurückzubleiben, und drei Tage lang streifte ich in arger Beklemmung durch die Stadt und wusste absolut nicht mehr, wie mir geschah. Ob auf dem Newski Prospekt, in den Gärten, auf dem Uferweg – keine von den Personen, die ich das ganze Jahr über zur selben Zeit am selben Ort antreffe, ist da. Sie kennen mich natürlich nicht, aber dafür kenne ich sie. Sogar intim, ich habe ihre Gesichter regelrecht studiert – und bin beflügelt, wenn sie heiter sind, und gräme mich, wenn sie betrübt dreinschauen. Mit einem alten Mann, dem ich jeden Tag, den Gott mir schenkt, zur selben Zeit an der Fontanka begegne, habe ich mich beinahe angefreundet. Er blickt würdevoll, versonnen, murmelt ständig etwas in seinen Bart und schwenkt die linke Hand; in der rechten hält er einen langen Knotenstock mit goldenem Knauf. Er hat mich sogar auch bemerkt und nimmt aufrichtig Anteil an mir. Gesetzt den Fall, ich erschiene nicht zur festen Zeit am selben Ort an der Fontanka, er würde, da bin ich mir sicher, von Gram befallen. Deshalb grüßen wir uns manchmal beinahe mit einer Verbeugung, besonders, wenn wir beide guter Stimmung sind. Kürzlich, als wir einander zwei volle Tage nicht gesehen hatten und uns am dritten Tag begegneten, hätten wir fast nach unseren Hüten gegriffen, doch zum

Glück besannen wir uns rechtzeitig, ließen die Hände sinken und gingen voller Anteilnahme aneinander vorbei. Ich bin auch mit den Häusern bekannt. Wenn ich eine Straße entlanggehe, tritt gleichsam jedes von ihnen eilig ein paar Schritte vor, guckt mich mit großen Fenstern an und scheint zu sagen: »Seien Sie gegrüßt; wie geht es Ihnen? auch ich bin Gott sei Dank gesund, und im Mai bekomme ich ein neues Stockwerk aufgesetzt.« Oder: »Wie geht es Ihnen? was mich betrifft, morgen beginnt meine Renovierung.« Oder: »Ich wäre fast abgebrannt, das war ein Schreck!« usw. Einige sind meine Lieblinge, intime Freunde; eins von ihnen will sich diesen Sommer von einem Architekten kurieren lassen. Da werde ich extra jeden Tag vorbeigehen, damit es, Gott bewahre, nicht zu Tode kuriert wird …! Nie vergessen werde ich die Geschichte von dem bildhübschen blassrosa Häuschen. Es war so ein nettes kleines Haus aus Stein, und es sah mich so freundlich an und seine ungeschlachten Nachbarn so stolz, dass ich von Herzen froh war, wenn ich einmal dort vorbeikam. Plötzlich, vergangene Woche, als ich die Straße entlangging und zu meinem Freund hinschaute, hörte ich einen Klageruf: »Sie streichen mich gelb!« Unholde! Barbaren! sie haben nichts verschont, nicht die Säulen, nicht die Simse, und mein Freund erstrahlte gelb wie ein Kanarienvogel. Mir lief fast die Galle über, und ich bringe es bis heute nicht fertig, den verunstalteten armen Kerl aufzusuchen, der in der Farbe des Reichs der Mitte gestrichen wurde.

Nun verstehen Sie also, lieber Leser, wie ich mit ganz Petersburg bekannt bin.

Ich habe schon gesagt, dass ich drei volle Tage unter Unruhe litt, bis ich den Grund erriet. Auf der Straße ging es mir schlecht (dieser ist nicht da, jener ist nicht da, wo ist Sowieso hin?), und auch daheim war ich aus dem Gleichgewicht. Zwei Abende zerbrach ich mir den Kopf: was fehlt mir in meinem Winkel? wieso ist es hier so unbehaglich? und zweifelnd musterte ich meine grünen, verrußten Wände, die Decke mit den vielen Spinnweben, die Matrjona mit großem Erfolg kultivierte, prüfte all meine Möbelstücke, musterte jeden Stuhl und überlegte, ob das Unheil hier saß (denn wenn bei mir auch nur ein Stuhl nicht so steht wie am Tag vorher, bringt mich das aus dem Gleichgewicht), sah aus dem Fenster, aber alles umsonst … Mir wurde kein bisschen leichter! Ich kam sogar auf die Idee, Matrjona zu rufen, und sprach ihr auf der Stelle einen väterlichen Tadel für die Spinnweben und für allgemeine Schlampigkeit aus; doch sie sah mich nur verwundert an und ging ohne ein Wort hinaus, so dass die Spinnweben nach wie vor wohlbehalten an ihrem Platz hängen. Schließlich erriet ich erst heute Morgen, was los war. Ha! sie verduften vor mir auf die Datscha! Entschuldigen Sie das triviale Wörtchen, mir war gerade nicht nach hohem Stil … Denn was auch immer sich in Petersburg aufhielt, fuhr bereits oder demnächst auf die Datscha; denn jeder ehrbare Herr von solidem Äußeren, der eine Mietkutsche bestieg, verwandelte sich in meinen Augen sogleich in einen ehrbaren Familienvater, der, nach Erledigung der täglichen Dienstpflichten, ohne Gepäck in den Schoß seiner Familie aufbrach, auf die Datscha; denn jeder Passant hatte jetzt eine ganz und gar spezielle Miene, die aller Welt mitzuteilen schien: »Wir, meine Herren, sind schon mit einem Bein unterwegs, in zwei Stunden fahren wir auf die Datscha.« Wurde, nach dem Getrommel zarter zuckerweißer Finger an die Scheibe, ein Fenster geöffnet, und ein hübsches junges Mädchen streckte den Kopf hinaus und rief den Topfblumenhändler herbei, dann kam es mir sofort, im selben Moment so vor, als würden die Blumen ohne jeden Zweck gekauft, also nicht etwa, um sich in der stickigen Stadtwohnung an Frühling und Blüten zu erfreuen, und als führe man in Kürze geschlossen auf die Datscha und nähme die Blumen mit. Und damit nicht genug, ich war mit meiner neuen, speziellen Wahrnehmung schon so erfolgreich, dass ich nur nach dem Äußeren unfehlbar bestimmen konnte, wer auf welcher Datscha lebte. Die Bewohner der Stein- und der Apothekerinsel oder der Peterhofer Straße unterschieden sich durch das anerzogen vornehme Gebaren, die elegante Sommerkleidung und die prachtvollen Kutschen, mit denen sie in die Stadt kamen. Wer in Pargolowo wohnte oder noch weiter draußen, »bestach« auf den ersten Blick durch Vernunft und Gesetztheit; ein Besucher der Krestowski-Insel war an seiner unerschütterlich heiteren Miene zu erkennen. Ob ich nun eine lange Prozession von Lastkutschern traf, träge mit den Zügeln in der Hand ihre Fuhren begleitend, die mit Bergen von Möbelstücken, Tischen, Stühlen, türkischen und nicht-türkischen Diwanen und weiterem häuslichen Kram beladen waren, auf dem des Öfteren, ganz oben über allem, auf dem Gipfel der Fuhre eine kränkliche Köchin thronte, die das Gut der

Herrschaft wie ihren Augapfel hütete; ob ich nun die mit Hausrat schwer beladenen Boote betrachtete, die über die Newa oder die Fontanka glitten, bis zum Schwarzen Fluss oder zu den Inseln – die Fuhren und die Boote verzehnfachten, verhundertfachten sich vor meinen Augen; es schien, als machte sich alles auf und führe los, als zöge alles in ganzen Karawanen auf die Datscha; es schien, als drohte ganz Petersburg zu einer Wüste zu werden, so dass ich mich schließlich beschämt, gekränkt und bekümmert fühlte: mich brachte absolut nichts, kein Weg und kein Ziel, auf die Datscha. Ich wäre mit jeder Fuhre gegangen, mit jedem ehrbar aussehenden Herrn gefahren, der eine Mietkutsche bestieg; doch nicht einer, absolut niemand lud mich ein; als hätten sie mich vergessen, als wäre ich ihnen in Tat und Wahrheit fremd!

Ich war so lange und so weit gelaufen, dass ich nach meiner Gewohnheit schon ganz vergessen hatte, wo ich war, als ich mich plötzlich am Stadttor wiederfand. Gleich wurde mir heiter zumute, und ich ließ den Schlagbaum hinter mir, schritt zwischen Wiesen und bestellten Feldern aus, empfand keine Müdigkeit, sondern fühlte nur mit allen Fasern meines Seins, wie mir eine Last von der Seele fiel. Alle Vorüberfahrenden schauten mich ungemein freundlich an und machten schlechterdings Anstalten, mich zu grüßen; alle freuten sich an etwas, alle ohne Ausnahme rauchten Zigarren. Auch ich freute mich, wie ich mich noch nie gefreut hatte. Als wäre ich plötzlich nach Italien gelangt – so starken Eindruck machte die Natur auf mich, den halb kranken Städter, der zwischen den Mauern der Stadt fast erstickte.

Es liegt etwas unsagbar Rührendes in unserer Petersburger Natur, wenn sie mit Frühlingsanbruch plötzlich ihre ganze Macht und alle vom Himmel verliehenen Kräfte entfaltet, sich mit Flaum, Putz und bunten Blumen schmückt ... Unwillkürlich wurde ich an das sieche, schwindsüchtige junge Mädchen erinnert, das Sie mal mit Bedauern, mal mit einer Art mitleidiger Liebe betrachten, ein anderes Mal wiederum gar nicht bemerken und das plötzlich, für einen Moment, scheinbar zufällig eine unsagbare, wundersame Schönheit gewinnt, und Sie, hingerissen, entzückt, fragen sich unwillkürlich: welche Kraft ließ diese traurigen, versonnenen Augen mit einem solchen Feuer aufleuchten? was hat auf den bleichen, abgezehrten Wangen diese Röte hervorgebracht? was den feinen Zügen eine solche Leidenschaft geschenkt? warum hebt sich die Brust so sehr? was hat im Gesicht des armen Mädchens so unerwartet Kraft, Leben und Schönheit aufscheinen, ein solches Lächeln aufleuchten lassen, das Antlitz mit einem so strahlenden, funkelnden Lachen belebt? Sie schauen sich um, suchen nach jemandem, stellen Vermutungen an ... Doch der Augenblick verstreicht, und vielleicht sehen Sie schon am nächsten Tag denselben versonnenen, zerstreuten Blick wie früher, dasselbe blasse Gesicht, dieselbe Ergebenheit und Scheu in den Gesten, und sogar Reue, sogar Spuren lähmenden Grams und Verdrusses über das aufgelöderte Gefühl ... Und Sie bedauern, dass diese flüchtige Schönheit so schnell, so unwiederbringlich welken musste, dass sie so trügerisch und vergeblich vor Ihnen aufschien – bedauern es, weil Sie nicht einmal Zeit hatten, sie liebzugewinnen ...

Trotzdem war meine Nacht noch besser als mein Tag! Und das kam so.

Ich kehrte sehr spät in die Stadt zurück, und es schlug schon zehn Uhr, als ich mich meiner Wohnung näherte. Mein Weg führte mich am Kanal entlang, wo man um diese Stunde keiner Seele begegnet. Freilich wohne ich auch in einem sehr entlegenen Stadtteil. Ich sang beim Gehen, denn wenn ich glücklich bin, trällere ich unbedingt vor mich hin, wie jeder glückliche Mensch, der weder Freunde noch gute Bekannte hat und in einer frohen Minute seine Stimmung mit niemandem teilen kann. Plötzlich erlebte ich ein gänzlich unerwartetes Abenteuer.

Etwas abseits, ans Geländer des Kanals gelehnt, stand eine Frau; auf das Gitter gestützt, schien sie sehr aufmerksam das trübe Kanalwasser zu betrachten. Sie trug ein reizendes gelbes Hütchen und einen koketten schwarzen Umhang. ›Die Frau ist jung und ganz bestimmt brünett‹, dachte ich. Meine Schritte hörte sie offenbar nicht, sie rührte sich nicht einmal, als ich, mit angehaltenem Atem und stark pochendem Herzen, an ihr vorüberging. ›Seltsam!‹, dachte ich, ›sie ist wohl tief in Gedanken‹, und blieb plötzlich wie angewurzelt stehen. Mir war, ich hörte unterdrücktes Weinen. Ja! ich hatte mich nicht getäuscht: das junge Mädchen weinte, da, sie schluchzte auf, und noch einmal. O Gott! Mein Herz zog sich zusammen. Wie schüchtern ich auch Frauen gegenüber bin, dies war nun eine ganz besondere Situation ... Ich wandte mich um, trat auf sie zu und hätte unfehlbar: »Gnädiges Fräulein!« gesagt, hätte ich nicht gewusst, dass dieser Ausruf

in den russischen Romanen der Beaumonde schon tausend-
mal gefallen war. Das allein hielt mich zurück. Doch während ich nach Worten suchte, schrak das junge Mädchen auf,
sah sich um, besann sich, senkte den Blick und eilte an mir
vorbei den Uferweg entlang. Ich folgte ihr sofort, doch sie
merkte es, verließ den Uferweg, überquerte die Straße und
ging auf dem Trottoir weiter. Ich wagte es nicht, ebenfalls
die Straße zu überqueren. Mein Herz flatterte wie das eines
gefangenen Vogels. Plötzlich kam mir der Zufall zur Hilfe.

Auf der anderen Straßenseite war, nicht weit von meiner Unbekannten, ein Herr im Frack aufgetaucht, nicht
mehr jung, aber auch nicht mehr sicher auf den Beinen. Er
schwankte und stützte sich achtsam an der Mauer ab. Das
junge Mädchen wiederum ging pfeilgeschwind, hastig und
befangen wie alle jungen Mädchen, die nicht wollen, dass
jemand sich erbötig macht, sie nachts nach Hause zu begleiten, und der taumelnde Herr hätte sie natürlich nie einge-
holt, wenn mein Schicksal ihm nicht eingeflüstert hätte, sich
unkonventioneller Mittel zu bedienen. Plötzlich, ohne ein
Wort, stürzte mein Herr los, lief, was die Beine hergaben,
rannte meiner Unbekannten nach. Sie ging geschwind wie
der Wind, doch der trudelnde Herr kam näher, ganz nah, das
Mädchen schrie auf – und ich segnete das Schicksal für den
vorzüglichen Knotenstock, den ich an diesem Tag zufällig in
der rechten Hand trug. Blitzschnell war ich auf der anderen
Straßenseite, blitzschnell begriff der ungebetene Herr die Situation, zog mein unwiderlegliches Argument in Betracht,
sagte nichts, blieb zurück und protestierte erst, als wir schon

weit weg waren, mit einigen recht energischen Begriffen. Doch seine Worte erreichten uns kaum noch.

»Geben Sie mir Ihren Arm«, sagte ich zu meiner Unbekannten, »und er wird es nicht mehr wagen, Sie zu belästigen.«

Sie reichte mir schweigend den Arm, der noch vor Aufregung und Schrecken bebte. Oh, ungebetener Herr! wie segnete ich dich in diesem Moment! Ich sah sie aus den Augenwinkeln an: sie war reizend, sie war brünett – ich hatte recht gehabt; an ihren schwarzen Wimpern glänzten noch Tränen des eben erlebten Schreckens oder des Kummers zuvor – wer weiß. Doch auf den Lippen blitzte schon ein Lächeln auf. Auch sie sah mich verstohlen an, errötete leicht und senkte den Blick.

»Sehen Sie, weshalb haben Sie mich vorhin weggeschickt? Wenn ich hier gewesen wäre, wäre das nicht passiert ...«

»Ich kannte Sie doch nicht: ich dachte, Sie wären auch ...«

»Kennen Sie mich etwa jetzt?«

»Ein bisschen. Um nur ein Beispiel zu nennen, warum zittern Sie?«

»Oh, Sie haben es auf Anhieb erkannt!«, antwortete ich, begeistert, weil mein junges Mädchen klug war: Das ist bei einer schönen Frau nie überflüssig. »Ja, Sie haben auf den ersten Blick erkannt, mit wem Sie es zu tun haben. Es stimmt, ich bin Frauen gegenüber schüchtern, ich bin aufgewühlt, das gebe ich zu, genauso sehr, wie Sie es gerade eben waren, als der Herr Sie erschreckt hat ... Jetzt hat mich eine Art Schreck erfasst. Es ist wie ein Traum, bloß habe ich nicht einmal im Traum daran gedacht, dass ich irgendwann mit einer Frau sprechen würde.«

»Was? wirklich …?«

»Ja. Wenn mein Arm zittert, dann liegt das daran, dass er noch nie von einer so hübschen, kleinen Hand wie der Ihren umfasst wurde. Ich bin überhaupt nicht mehr an Frauen gewöhnt; das heißt, ich war noch nie an sie gewöhnt; ich lebe ja allein … Ich weiß nicht einmal, wie ich mit Frauen sprechen soll. Auch jetzt weiß ich es nicht – habe ich vielleicht etwas Dummes zu Ihnen gesagt? Tadeln Sie mich nur; ich versichere Ihnen, ich bin nicht leicht zu kränken …«

»Nein, gar nicht, im Gegenteil. Und wenn Sie schon verlangen, dass ich offen sein soll, so sage ich Ihnen, dass den Frauen eine solche Schüchternheit gefällt; und wenn Sie mehr wissen wollen – mir gefällt sie auch, und nun schicke ich Sie bis vor die Haustür nicht mehr weg.«

»Sie werden noch erreichen«, hob ich an und rang vor Begeisterung nach Luft, »dass ich meine Schüchternheit auf der Stelle ablege, und dann – lebt wohl, alle meine Chancen …!«

»Chancen? was für Chancen, worauf? wie hässlich von Ihnen.«

»Pardon, es kommt nicht wieder vor, das Wort ist mir entschlüpft; aber können Sie etwa verlangen, dass man in einer solchen Situation nicht den Wunsch hat, zu …«

»Zu gefallen?«

»Nun ja; um Gottes willen, seien Sie bitte nett zu mir. Urteilen Sie selbst – ich bin schon sechsundzwanzig Jahre alt! und habe noch nie jemanden getroffen. Wie soll ich da schön reden können, wortgewandt und wie es sich gehört? Und für Sie ist es doch gut, wenn ich mit allem freimütig herausplatze … Ich kann eben nicht schweigen, wenn mein Herz spricht. Aber egal … Sie werden es nicht glauben, keine Frau, niemals, nie! Keine Bekanntschaft! ich träume bloß jeden Tag davon, dass ich irgendwann endlich jemanden treffe. Ach, wenn Sie wüssten, wie oft ich auf diese Weise verliebt war …!«

»Aber wie denn, in wen …?«

»In niemanden, in ein Ideal, in die, von der ich nachts träume. In meiner Fantasie male ich mir ganze Romane aus. Ach, Sie kennen mich nicht! Gut, zwei oder drei Frauen habe ich getroffen, denn ganz ohne Umgang geht es ja nicht, aber waren das etwa Frauen? Hausfrauen waren das, mehr nicht … Halt, jetzt bringe ich Sie zum Lachen, ich erzähle Ihnen, wie ich mir ein paar Mal überlegt habe, eine Aristokratin einfach so auf der Straße anzusprechen, selbstverständlich nur, wenn sie allein ist; ich spräche natürlich scheu, ehrerbietig, inbrünstig; ich würde ihr sagen, dass ich alleine zugrunde ginge, dass sie mich nicht wegschicken möge, dass ich keine Chance hätte, auch nur irgendeine Frau kennenzulernen; ich würde ihr einreden, dass es sogar die Pflicht einer jeden Frau wäre, die scheue Bitte eines so unglücklichen Menschen, wie ich es wäre, nicht abzuschlagen. Dass schlussendlich alles, was ich verlangte, doch nur darin bestünde, mir zwei brüderliche Worte zu sagen, egal welche, aber mit Anteilnahme, mich nicht auf der Stelle wegzuschicken, mir aufs Wort zu glauben, zuzuhören, was ich sage, mich auszulachen, wenn's beliebte, mir Hoffnung einzuflößen, mir zwei Worte zu sagen, nur zwei Worte, und danach bräuchte man sich auch niemals wiederzusehen …! Doch Sie lachen … Richtig, deshalb erzähle ich das ja …«

»Seien Sie nicht böse; ich lache, weil Sie selbst Ihr größter Feind sind, und wenn Sie die Sache ausprobieren würden, würde sie auch gelingen, vielleicht sogar auf der Straße; je einfacher, desto besser … Keine einzige gutherzige Frau, vorausgesetzt, sie ist nicht dumm oder in dem Moment besonders verärgert über irgendetwas, würde Sie ohne diese zwei Worte fortschicken, um die Sie so scheu betteln würden. Aber nein, was fällt mir ein! natürlich würde man Sie für verrückt halten. Ich bin nur von mir ausgegangen. Und ich weiß ja ach so viel darüber, wie die Menschen leben!«

»Oh, ich danke Ihnen!«, rief ich aus, »Sie wissen nicht, was Sie gerade für mich getan haben!«

»Schon gut, schon gut. Aber sagen Sie mir doch, warum dachten Sie, dass ich eine Frau bin, mit der … nun, die Ihrer Meinung nach … Achtung und Freundschaft verdient … mit einem Wort, keine Hausfrau, wie Sie sich ausgedrückt haben. Warum haben Sie den Entschluss gefasst, mich anzusprechen?«

»Warum? warum? Sie waren allein, jener Herr war allzu kühn, es ist Nacht; Sie stimmen mir wohl zu, dass man verpflichtet ist …«

»Nein, nein, vorher, dort, auf der anderen Seite. Da wollten Sie mich doch ansprechen?«

»Dort, auf der anderen Seite? Ich weiß wahrhaftig nicht, was ich antworten soll; ich fürchte … Wissen Sie, ich war heute glücklich; ich bin gelaufen, habe gesungen; ich war vor der Stadt; noch nie habe ich so glückliche Stunden erlebt. Sie … vielleicht kam es mir nur so vor … Nun denn, verzeihen Sie, dass ich Sie daran erinnere: es kam mir so vor, als würden Sie weinen, und ich … ich konnte das nicht mit anhören … mein Herz krampfte sich zusammen … Ach Gott! Durfte ich mich da etwa nicht um Sie grämen? War es etwa Sünde, brüderliches Mitleid mit Ihnen zu empfinden? … Entschuldigen Sie, dass ich Mitleid gesagt habe … Nun denn, mit einem Wort, konnte ich Sie etwa damit kränken, dass mir unwillkürlich in den Sinn kam, Sie anzusprechen …?«

»Lassen Sie, genug davon, sprechen Sie nicht weiter …« Das junge Mädchen senkte den Blick und drückte meinen Arm. »Ich bin selbst schuld, weil ich davon angefangen habe; doch ich freue mich, dass ich mich nicht in Ihnen getäuscht habe … Aber jetzt bin ich schon zu Hause; ich muss dort hinein, in die Gasse da; dann sind es noch zwei Schritte … Leben Sie wohl, ich danke Ihnen …«

»Sollen wir uns wirklich nie mehr wiedersehen? …Und alles endet wirklich einfach so?«

»Sehen Sie«, sagte das junge Mädchen lachend, »zuerst wollten Sie nur zwei Worte, und jetzt … Im Übrigen sage ich nichts Endgültiges … Vielleicht begegnen wir uns noch einmal …«

»Ich komme morgen hierher«, sagte ich. »Oh, verzeihen Sie, ich stelle schon Forderungen …«

»Ja, Sie sind ungeduldig … Sie stellen beinah Forderungen …«

»Hören Sie, hören Sie!«, unterbrach ich sie. »Verzeihen Sie, wenn ich wieder etwas Unpassendes sage … Folgendes: Ich muss morgen einfach herkommen. Ich bin ein Träumer; ich lebe so wenig in der Wirklichkeit, dass Minuten wie diese, wie jetzt, für mich so selten sind, dass ich sie in meinen Träumen wiederholen muss. Ich werde die ganze Nacht, die ganze Woche, das ganze Jahr von Ihnen träumen. Ich komme morgen auf jeden Fall hierher, genau hierher, an diesen Ort, exakt zu dieser Stunde, und werde glücklich sein, indem ich an das Heutige zurückdenke. Dieser Ort ist mir schon jetzt lieb. Ich habe bereits zwei, drei solcher Orte in Petersburg. Ich habe sogar einmal vor lauter Erinnerung geweint wie Sie … Wer weiß, vielleicht haben Sie vor zehn Minuten ja auch vor lauter Erinnerung geweint … Doch verzeihen Sie mir, ich habe mich wieder vergessen; vielleicht waren Sie hier früher einmal besonders glücklich …«

»Gut«, sagte das junge Mädchen, »ich komme also morgen ebenfalls hierher, ebenfalls um zehn Uhr. Ich sehe schon, ich kann es Ihnen nicht mehr verbieten … Es ist nämlich so: ich muss morgen hier sein; denken Sie nicht, dass ich mich mit Ihnen verabrede; ich versichere Ihnen, ich muss in meinem eigenen Interesse hier sein. Und dann … Nun, frei heraus gesagt, es wäre nicht schlecht, wenn Sie auch kämen; erstens könnte es wieder Unannehmlichkeiten geben wie heute, aber das nur nebenbei … Mit einem Wort, ich würde Sie gerne sehen … um Ihnen zwei Worte zu sagen. Aber schau-

en Sie – denken Sie jetzt auch nicht schlecht von mir? Sie müssen nicht glauben, dass ich mich leichtfertig verabrede … Ich würde mich übrigens verabreden, wenn … Aber das soll mein Geheimnis sein! Nur im Voraus eine Bedingung …«

»Eine Bedingung! Reden Sie, sprechen Sie, nennen Sie sie; ich bin mit allem einverstanden, zu allem bereit«, rief ich begeistert aus, »ich kann für mich einstehen – ich werde gehorsam sein, ehrerbietig … Sie kennen mich …«

»Eben weil ich Sie kenne, möchte ich Sie morgen treffen«, sagte das junge Mädchen lachend. »Ich kenne Sie durch und durch. Aber schauen Sie, kommen Sie unter einer Bedingung: erstens (nur seien Sie so gut und tun Sie, worum ich Sie bitte – Sie sehen ja, ich bin ganz aufrichtig), erstens dürfen Sie sich nicht in mich verlieben … Das geht nicht an, auf keinen Fall. Zu Freundschaft bin ich bereit, hier meine Hand darauf … Aber verlieben dürfen Sie sich nicht, ich bitte Sie!«

»Ich schwöre es!«, rief ich aus und ergriff ihre kleine Hand …

»Ach was, schwören Sie nichts, ich weiß doch schon, dass Sie auflodern können wie Zunder. Denken Sie nicht schlecht von mir, weil ich über solche Dinge rede. Wenn Sie wüssten … Auch ich habe niemanden, mit dem ich ein paar Worte sprechen, den ich um Rat fragen könnte. Natürlich sucht man nicht auf der Straße nach Ratgebern, aber Sie sind eine Ausnahme. Ich kenne Sie so gut, als wären wir schon zwanzig Jahre lang befreundet … Nicht wahr, Sie enttäuschen mich nicht …?«

»Sie werden sich davon überzeugen … Nur weiß ich nicht, wie ich die Zeit bis morgen überleben soll.«

»Schlafen Sie tief und fest; gute Nacht – und vergessen Sie nicht, dass ich mich schon jetzt auf Sie verlasse. Sie haben vorhin so schön ausgerufen: Muss man etwa über jedes Gefühl Rechenschaft ablegen, selbst über brüderliches Mitgefühl? Wissen Sie, das war so schön gesagt, dass mir gleich durch den Kopf ging, ich könnte Ihnen alles anvertrauen …«

»In Gottes Namen, aber was? was bloß?«

»Ich sage nur: bis morgen. Einstweilen soll das ein Geheimnis sein. Umso besser für Sie; dann ähnelt es wenigstens von ferne einem Roman. Vielleicht erzähle ich es Ihnen morgen, vielleicht auch nicht … Ich spreche vorher noch mit Ihnen, wir lernen uns besser kennen …«

»Oh, und ich erzähle Ihnen morgen auch alles über mich! Was ist das nur? als würde ich ein Wunder erleben … Mein Gott, wo bin ich? Aber sagen Sie, bereuen Sie etwa, dass Sie nicht böse geworden sind, wie eine andere es geworden wäre, dass Sie mich nicht gleich zu Beginn weggeschickt haben? Zwei Minuten, und Sie haben mich für immer glücklich gemacht. Ja! glücklich; wer weiß, vielleicht haben Sie mich mit mir versöhnt, meine Zweifel zerstreut … Vielleicht werden mir noch ganz andere Augenblicke zuteil … Nun denn, morgen erzähle ich Ihnen alles, Sie werden alles erfahren, alles …«

»Gut, das ist mir recht; Sie fangen an …«

»Einverstanden.«

»Auf Wiedersehen!«

»Auf Wiedersehen!«

Und wir trennten uns. Ich lief die ganze Nacht umher; ich konnte mich nicht entschließen, nach Hause zu gehen. Ich war so glücklich … Bis morgen!

DIE ZWEITE NACHT

»Na also, Sie haben es überlebt!«, sagte sie lachend und drückte mir beide Hände.

»Ich bin schon seit zwei Stunden hier; Sie wissen nicht, was ich den ganzen Tag durchgemacht habe!«

»Doch, doch … Aber zur Sache. Wissen Sie, warum ich gekommen bin? Nicht, um Unsinn zu schwatzen wie gestern. Folgendes: wir müssen in Zukunft vernünftiger sein. Ich habe gestern über all das lange nachgedacht.«

»Was heißt das, was heißt vernünftiger? Von mir aus gerne; aber im Ernst, mir ist in meinem ganzen Leben nichts Vernünftigeres passiert als jetzt.«

»Wirklich? Erstens bitte ich Sie, meine Hände nicht so zu

drücken; zweitens möchte ich erklären, dass ich mir heute lange über Sie Gedanken gemacht habe.«

»Nun, und zu welchem Schluss sind Sie gekommen?«

»Zu welchem Schluss? Dass wir ganz von vorne anfangen müssen, denn nach all dem Nachdenken ist mir heute klargeworden, dass Sie mir noch gänzlich unbekannt sind, dass ich mich gestern wie ein Kind benommen habe, wie ein kleines Mädchen, und am Ende lief natürlich alles darauf hinaus, dass mein gutes Herz die Schuld trägt, also auf Eigenlob, wie immer, wenn wir uns selbst ergründen. Und um meinen Fehler zu korrigieren, habe ich beschlossen, die allergenausten Erkundigungen über Sie einzuziehen. Weil ich aber bei niemandem Erkundigungen über Sie einziehen kann, müssen Sie mir selber alles erzählen, bis ins Kleinste. Nun also, was sind Sie für ein Mensch? Schnell – fangen Sie an, erzählen Sie mir Ihre Geschichte.«

»Meine Geschichte!«, rief ich erschrocken aus, »meine Geschichte! Wer hat Ihnen denn gesagt, dass ich eine Geschichte habe? ich habe keine …«

»Wie haben Sie denn gelebt, wenn Sie keine haben?«, unterbrach sie mich lachend.

»Völlig ohne alle Geschichten! ich habe, wie man so sagt, ganz für mich gelebt, das heißt vollkommen allein, ganz und gar allein – verstehen Sie, was das heißt: allein?«

»Wie, allein? Heißt das, Sie begegnen niemandem?«

»O doch, das tue ich schon – aber allein bin ich trotzdem.«

»Was dann, sprechen Sie etwa mit niemandem?«

»Streng genommen, nein.«

»Ja, wer sind Sie denn, erklären Sie mir das! Warten Sie, ich glaube, ich weiß es: wahrscheinlich haben Sie auch so eine Babuschka wie ich. Meine ist blind und lässt mich nun schon mein ganzes Leben nirgendwohin, so dass ich fast völlig verlernt habe zu sprechen. Als ich vor zwei Jahren einmal über die Stränge schlug, da meinte sie, sie würde nicht fertig mit mir, und hat mich zu sich gerufen und, ruck, zuck, mein Kleid mit einer Nadel an ihrs gesteckt – und seitdem sitzen wir ganze Tage so; sie strickt Strümpfe, obwohl sie blind ist; ich muss neben ihr hocken, nähen oder vorlesen – so seltsam das auch ist, ich bin nun schon zwei Jahre festgesteckt …«

»Ach, du lieber Gott, was für ein Unglück! Aber nein, eine solche Babuschka habe ich nicht.«

»Wenn nicht, warum sitzen Sie dann zu Hause?«

»Hören Sie, Sie wollen also wissen, wer ich bin?«

»Aber ja, ja!«

»Im strengen Wortsinn?«

»Im allerstrengsten Wortsinn!«

»Gestatten Sie, ich bin ein Typ.«

»Ein Typ? was für ein Typ?«, rief das junge Mädchen und brach in ein Gelächter aus, als hätte sie ein ganzes Jahr lang nichts zu lachen gehabt. »Mit Ihnen hat man ja Spaß! Schauen Sie: hier ist eine Bank; setzen wir uns! Hier kommt keiner vorbei, hier hört uns keiner – fangen Sie doch mit Ihrer Geschichte an! denn Sie können mir nichts vormachen, Sie haben eine Geschichte, Sie verstellen sich nur. Erstens, was ist das, ein Typ?«

»Ein Typ? Das ist ein Original, ein komischer Mensch!«, antwortete ich und begann, angesteckt von ihrem kindlichen Gelächter, ebenfalls zu lachen. »Ein besonderer Charakter. Hören Sie, wissen Sie, was ein Träumer ist?«

»Ein Träumer? erlauben Sie, wie soll ich das nicht wissen? ich bin ja selber einer! Mitunter sitzt du neben der Babuschka, und was dir da nicht alles durch den Kopf geht! Na, und dann fängst du an zu träumen und verlierst dich derart in Gedanken – da heiratest du am Ende einen chinesischen Prinzen … Manchmal ist es ja auch gut zu träumen! Oder doch nicht, wer weiß. Vor allem, wenn man auch so genug zum Nachdenken hat«, setzte das junge Mädchen hinzu, dieses Mal ziemlich ernsthaft.

»Ausgezeichnet! Da Sie also schon einmal den Kaiser von China geheiratet haben, müssten Sie mich voll und ganz verstehen. Also, hören Sie … Doch erlauben Sie: Ich weiß ja noch gar nicht, wie Sie heißen.«

»Endlich! das ist Ihnen aber früh eingefallen!«

»Ach, du lieber Gott! es ist mir einfach nicht in den Sinn gekommen, ich habe mich auch so sehr gut gefühlt …«

»Ich heiße Nastenka.«

»Nastenka! nur Nastenka?«

»Nur! sagen Sie bloß, dass das wenig ist, Sie Unersättlicher!«

»Ob das wenig ist? Viel ist es, im Gegenteil, sehr, sehr viel, Nastenka, Sie liebes Mädchen, weil Sie jetzt von Anfang an Nastenka für mich sind!«

»Na eben! und nun?«

»Und nun, Nastenka, hören Sie, was für eine komische Geschichte ich zu erzählen habe.«

Ich setzte mich neben sie, nahm die Pose eines ernsthaften Pedanten ein und begann, als läse ich aus einem Buch vor:

»In Petersburg, Nastenka, gibt es, falls Sie das noch nicht wissen, ziemlich merkwürdige Winkel. Man könnte meinen, dort spähte nicht diejenige Sonne herein, die für alle Petersburger scheint, sondern eine andere, neue, gleichsam extra für diese Winkel herbestellte, die auf andere, besondere Weise schiene. In diesen Winkeln, liebe Nastenka, vollzieht sich gleichsam ein ganz anderes Leben als das, was sich in unserer Nähe tummelt, eines, das in das Königreich hinter den sieben Bergen gehörte, aber nicht hierher, in unsere ach so ernste Zeit. Und in diesem Leben mischen sich lautere Fantasie und glühende Ideale mit (leider, Nastenka!) trüber Prosa und Gewöhnlichkeit, um nicht zu sagen: schier unglaublicher Abgeschmacktheit.«

»Puh! Du lieber Himmel! was für eine Vorrede! Was kriege ich jetzt wohl zu hören?«

»Zu hören bekommen Sie, Nastenka (mir scheint, dass ich nie müde werde, Sie Nastenka zu nennen), zu hören bekommen Sie, dass in diesen Winkeln seltsame Leute leben, die Träumer. Ein Träumer – wenn wir denn eine genaue Definition brauchen – ist kein Mensch, sondern, sagen wir, eine Art Neutrum. Er siedelt meistens irgendwo in einem unzugänglichen Winkel, als scheute er sogar das Tageslicht, und wenn er sich zu Hause verkriecht, verwächst er mit seinem

Winkel wie eine Schnecke, oder er gleicht in dieser Hinsicht
zumindest sehr dem drolligen Tier, das gleichzeitig ein Tier
und sein Haus ist, der Schildkröte. Was meinen Sie, wieso
hat er so eine Vorliebe für seine vier Wände, die unfehlbar
grün gestrichen, verrußt, trist und einfach sträflich verraucht
sind? Warum empfängt dieser komische Herr, wenn einer
seiner wenigen Bekannten ihn besuchen kommt (das Ende vom Lied ist, dass seine Bekannten sich allesamt in Luft
auflösen), warum empfängt ihn dieser komische Mensch
so verwirrt, so bleich, so verstört, als hätte er in seinen vier
Wänden gerade ein Verbrechen begangen, als hätte er Doku-
mente gefälscht oder Verschen für eine Zeitschrift fabriziert
und dazu einen anonymen Brief des Inhalts geschrieben, der
wahre Dichter wäre verstorben und sein Freund hielte es
für seine heilige Pflicht, die Machwerke zu veröffentlichen?
Wieso, sagen Sie mir das, Nastenka, kommt zwischen den
beiden Männern kein Gespräch zustande? wieso bringt der
unvermittelt eingetretene, peinlich berührte Freund weder
Lachen noch Scherzwort hervor, obwohl er bei anderen Ge-
legenheiten sehr für Lachen und Scherzworte zu haben ist
und auch für Gespräche über das schöne Geschlecht und
andere heitere Themen? Wieso schließlich ist dieser Freund,
ein neuer Bekannter vermutlich, der seinen ersten Besuch
macht – denn in einem solchen Fall wird es keinen zweiten
geben, der Freund kein weiteres Mal kommen –, wieso ist der
Freund, bei all seinem Witz (wenn er ihn denn hat), so verwirrt, so versteinert beim Anblick des zerrütteten Gesichts
des Gastgebers, der seinerseits schon längst die Fassung ver-

loren hat und ganz und gar aus dem Konzept gekommen ist, nachdem er gigantische, doch vergebliche Anstrengungen unternommen hat, dem Gespräch Kontur und Farbe zu verleihen, Kenntnisse eines Mannes von Welt zu demonstrieren, selber über das schöne Geschlecht zu reden und wenigstens durch diese Unterwürfigkeit dem an den falschen Ort geratenen armen Kerl zu gefallen, der irrtümlich zu ihm zu Besuch gekommen ist? Wieso schließlich greift der Besucher auf einmal nach seinem Hut und bricht rasch auf, weil ihm plötzlich eine hochdringliche Angelegenheit eingefallen ist, die es nie gab, und befreit seine Hand mit Mühe aus dem heißen Händedruck des Gastgebers, der sich krampfhaft bemüht, Reue zu zeigen und die verpfuschte Visite noch zu retten? Wieso lacht der fortgegangene Freund, kaum zur Tür hinaus, laut los, gelobt sich an Ort und Stelle, diesen schrägen Vogel nie wieder zu besuchen, obwohl der schräge Vogel im Grunde ein ganz famoser Bursche ist, und kann gleichzeitig seiner Fantasie eine kleine Marotte nicht versagen: die Miene des gerade verlassenen Gesprächspartners während des ganzen Besuchs wenigstens entfernt mit dem Aussehen eines unglücklichen Kätzchens zu vergleichen, das, von Kindern hinterlistig gefangen, gezaust, in Schrecken versetzt, auf allerlei Arten traktiert und in heillose Verwirrung getrieben, sich schließlich unter einen Stuhl verkroch, ins Dunkel, um dort eine volle Stunde seiner Zeit das Fell zu sträuben, zu niesen, mit beiden Pfoten sein gekränktes Schnäuzchen zu putzen und noch lange danach feindselige Blicke auf Leben und Natur und selbst auf die paar Brocken vom herrschaft-

lichen Mahl zu werfen, die die mitleidige Wirtschafterin für
es beiseitegebracht hatte?«

»Hören Sie«, unterbrach Nastenka, die die ganze Zeit voller Verwunderung gelauscht hatte, Augen und Mund weit
geöffnet, »hören Sie: Ich weiß absolut nicht, wieso das alles
passiert ist und warum Sie ausgerechnet mir solche komischen Fragen stellen; aber das weiß ich genau, dass alle diese
Abenteuer Ihnen zugestoßen sind, von A bis Z.«

»Ohne Zweifel«, antwortete ich mit todernster Miene.

»Na, wenn das so ist, dann fahren Sie fort«, antwortete
Nastenka, »denn ich möchte unbedingt wissen, wie alles aus-
geht.«

»Sie möchten wissen, Nastenka, was unser Held in seinem Winkel oder, besser gesagt, was ich dort gemacht habe, denn der Held der ganzen Geschichte bin ich, in eigener
bescheidener Person; Sie möchten wissen, wieso ich wegen
des unerwarteten Besuchs des Freundes derart in Erregung
geriet und für den ganzen Tag die Fassung verlor? Sie möchten wissen, wieso ich so jäh aufgeschreckt und so tief errötet
bin, als sich die Tür zu meinem Zimmer öffnete, warum ich
den Gast nicht richtig empfangen konnte und so von der Last
meiner Gastfreundschaft schmählich zermalmt wurde?«

»Aber ja!«, antwortete Nastenka, »darum geht es doch.
Hören Sie: Sie erzählen wunderschön, aber könnten Sie
nicht irgendwie weniger schön erzählen? Sie reden nämlich,
als würden Sie mir etwas vorlesen.«

»Nastenka!«, antwortete ich würdevoll und streng und
konnte dabei kaum das Lachen unterdrücken, »liebe Nasten-

ka, ich weiß, dass ich schön erzähle, doch, pardon, anders erzählen kann ich nicht. Mir ergeht es jetzt, liebe Nastenka, wie König Salomons Geist, der tausend Jahre in dem mit sieben Siegeln verschlossenen Krug saß und jetzt, da die sieben Siegel erbrochen wurden, endlich frei ist. Jetzt, liebe Nastenka, da wir nach so langer Trennung wieder vereint sind – denn ich habe Sie schon vor langer Zeit gekannt, Nastenka, ich suche schon lange nach jemandem, und das bedeutet, dass Sie es sind, die ich gesucht habe, und dass es uns vorherbestimmt war, uns jetzt zu begegnen –, jetzt haben sich in meinem Kopf tausend Schleusen geöffnet, und ich muss mich in einer Flut von Worten verströmen, oder ich ersticke. Also, ich bitte Sie, mich nicht zu unterbrechen, sondern still und brav zuzuhören, denn sonst – höre ich auf zu erzählen.«

»Neiiiin! bloß nicht! sprechen Sie! Ich bin jetzt mucksmäuschenstill.«

»Also fahre ich fort: mein Tag, meine gute Nastenka, hat eine Stunde, die mir außerordentlich lieb ist. In dieser Stunde enden fast alle Geschäfte, Dienstpflichten und Obliegenheiten, man eilt nach Hause, um zu essen und sich ein wenig hinzulegen, und ersinnt an Ort und Stelle, unterwegs, noch weitere vergnügliche Dinge, die den Abend, die Nacht und überhaupt die ganze restliche Freizeit betreffen. Zu dieser Stunde schreitet unser Held – denn gestatten Sie mir, Nastenka, in der dritten Person zu erzählen, alldieweil es schrecklich peinlich ist, das in der ersten Person zu tun –, also, zu dieser Stunde schreitet unser Held, der ebenfalls nicht unbeschäftigt war, wie seinesgleichen heimwärts. Doch auf seinem blassen, gleichsam ein wenig zerknitterten Gesicht liegt ein seltsames Vergnügen. Nicht unbeteiligt betrachtet er das Abendrot, das am kalten Petersburger Himmel langsam erlischt. Wenn ich sage, er betrachtet, dann lüge ich: er betrachtet es nicht, er schaut automatisch hin, als wäre er müde oder mit einem anderen, interessanteren Gegenstand befasst und könnte seiner Umgebung nur flüchtig, fast gegen seinen Willen Zeit widmen. Er ist zufrieden, weil seine leidige Tätigkeit für heute beendet ist, und froh wie ein Schüler, der nach dem Unterricht zu seinen geliebten Spielen und Streichen laufen darf. Betrachten Sie ihn von der Seite, Nastenka: Sie sehen sofort, dass das freudige Gefühl schon eine glückliche Wirkung auf seine schwachen Nerven und die krankhaft gereizte Fantasie ausgeübt hat. Jetzt versinkt er in Gedanken … Sie glauben, über das Essen? über den heutigen Abend? Wohin schaut er denn da? Nach dem Herrn von solidem Äußeren, der sich so theatralisch vor der Dame verbeugt, die in einer prächtigen Kutsche mit schnellbeinigen Pferden vorüberfährt? Aber nein, Nastenka, was schert ihn jetzt noch diese ganze Nichtigkeit! Jetzt besitzt er schon den Reichtum seines besonderen Lebens; ganz plötzlich ist er reich geworden, der Abschiedsstrahl der verlöschenden Sonne hat nicht umsonst so heiter vor ihm geleuchtet und seinem erglühten Herzen einen ganzen Schwarm von Eindrücken beschert. Jetzt nimmt er von dem Weg, auf dem ihn vorher die kleinste Kleinigkeit hätte überraschen können, kaum noch etwas wahr. Jetzt hat die ›Göttin Fantasia‹ (wenn Sie denn Schukowski gelesen haben, Nastenka) bereits mit

mutwilliger Hand ihre goldenen Kettfäden aufgezogen und lässt Muster eines ungekannten, wunderlichen Lebens vor ihm entstehen – und hat ihn vielleicht, wer weiß, vom trefflichen Granitbürgersteig, auf dem er heimwärts strebt, mit mutwilliger Hand in den siebten Kristallhimmel gehoben. Würden Sie jetzt versuchen, ihn anzusprechen, ihn plötzlich fragen, wo er sich jetzt befinde, durch welche Straßen er gegangen sei – er würde sich vermutlich an nichts erinnern, weder daran, wo er entlanggelaufen ist, noch daran, wo er sich jetzt befindet, und würde, rot vor Ärger, zur Wahrung des Anstands sicherlich lügen. Deshalb ist er zusammengezuckt, hat fast aufgeschrien und verschreckt um sich geschaut, als eine höchst ehrbare alte Frau ihn auf dem Trottoir manierlich ansprach und nach dem Weg fragte, den sie verloren hatte. Finster vor Ärger schreitet er weiter und bemerkt kaum, dass nicht wenige Passanten bei seinem Anblick lächeln müssen und ihm nachblicken und dass ein kleines Mädchen, das ihm erst ängstlich aus dem Weg ging, mit großen Augen sein breites, in sich gekehrtes Lächeln und seine gestikulierenden Hände betrachtet und laut auflacht. Doch die Alte, die neugierigen Passanten, das lachende Mädchen, die Kerle, die direkt auf ihren Barken, mit denen sie die Fontanka blockieren, ihr Abendbrot essen (nehmen wir an, unser Held geht gerade am Fluss entlang) – alle und alles hat ebenjene Fantasia auf ihrem tändelnden Flug geschnappt und übermütig in ihren Stoff eingewebt wie Fliegen in ein Spinnennetz, und schon betritt der Sonderling mit dieser Neuerwerbung seinen traulichen Bau, schon setzt er sich zu

Tisch, schon hat er längst aufgegessen und kommt erst wieder zu sich, als seine Aufwartefrau Matrjona, grüblerisch und ewig betrübt, schon den Tisch abgeräumt und ihm die Pfeife gereicht hat, kommt zu sich und begreift verwundert, dass er sein Essen schon restlos verspeist hat und nicht im mindesten sagen könnte, wie das zugegangen ist. Im Zimmer wird es dunkel, im Gemüt düster und trist; um ihn herum ist ein ganzes Königreich an Träumen eingestürzt, eingestürzt ohne jede Spur, ohne Krach oder Lärm, verflogen wie ein nächtlicher Traum, und er weiß selbst nicht mehr, was er sich zusammengeträumt hatte. Doch ein dunkles Gefühl weckt in seiner Brust ein leichtes Weh und Wogen, ein neues Verlangen kitzelt und reizt verführerisch seine Fantasie und ruft unmerklich einen ganzen Schwarm neuer Phantome herbei. Im kleinen Zimmer herrscht Stille; Abgeschiedenheit und Muße hätscheln die Einbildung; sie erhitzt sich sanft, beginnt sanft zu brodeln, wie das Wasser im Kaffeekännchen der alten Matrjona, die seelenruhig nebenan in der Küche werkelt, ihren Köchinnenkaffee bereitet. Schon kommt es in der Fantasie zu sanften Eruptionen, schon gleitet das Buch, ziellos und aufs Geratewohl gegriffen, meinem Träumer aus der Hand, bevor er auch nur bis zur dritten Seite gekommen ist. Seine Einbildung ist aufs Neue gestimmt, ist aufgereizt, und plötzlich erstrahlt vor ihm wieder die leuchtende Aussicht auf eine neue Welt, ein neues, bezauberndes Leben. Neuer Traum – neues Glück! Eine neue Dosis des raffinierten, sinnenbetörenden Giftes! Ach, was sollte er auch mit unserem wirklichen Leben anfangen! Nach seiner vorgefassten Ansicht leben wir, Sie und ich, Nastenka, so träge, so verhalten, so schwunglos; nach seiner Ansicht sind wir alle so unzufrieden mit unserem Schicksal, leiden so sehr unter unserem Leben! Und wahrhaftig, schauen Sie nur, wie ist doch auf den ersten Blick alles kalt bei uns, grämlich, gleichsam böse ... ›Die Ärmsten!‹, denkt mein Träumer. Und verwunderlich ist das nicht! Schauen Sie sich die zauberhaften Erscheinungen an, die sich vor seinen Augen so anmutig, so mutwillig, so unbegrenzt und großzügig zu einem zauberhaften beseelten Bild fügen, wo im Vordergrund, als Hauptfigur, natürlich er steht, unser Träumer, in eigener teurer Person. Schauen Sie sich die bunten Abenteuer an, den endlosen Schwarm ekstatischer Traumbilder. Sie fragen vielleicht, wovon er träumt? Wozu danach fragen! von allem ... Von der Rolle des Dichters, der zuerst nicht anerkannt und dann bekränzt wird; von einer Freundschaft mit E.T.A. Hoffmann; von der Bartholomäusnacht, Diana Vernon, einer Heldenrolle bei der Eroberung von Kasan durch Iwan den Schrecklichen, von Clara Mowbray, Effie Deans, Jan Hus vor dem Konzil, vom Aufstand der Toten in der Oper ›Robert der Teufel‹ (erinnern Sie sich an die Musik? da riecht es nach Friedhof!), von Minna und Brenda, von der Schlacht an der Beresina, vom Vortrag eines Gedichts bei der Gräfin W.-D., von Danton, Kleopatra e i suoi amanti, einem Häuschen in Kolomna, dem eigenen Winkel, und neben sich ein liebes Geschöpf, das an einem Winterabend, Mund und Augen weit geöffnet, zuhört, wie Sie jetzt mir zuhören, mein kleiner Engel ... Nein, Nastenka, was sollte er, der schwärmerische Faulenzer, denn mit dem Leben anfangen, zu dem es Sie und mich so hinzieht? er nennt es armselig, erbärmlich und ahnt nicht, dass womöglich auch für ihn einmal die traurige Stunde schlägt, da er all seine Fantasiejahre für nur einen Tag dieses erbärmlichen Lebens hergeben würde, und nicht einmal für einen besonders freudigen oder glücklichen – für welchen wäre in jener Stunde der Trauer, der Reue und des ungehemmten Kummers sogar gleichgültig. Doch bis sie nicht angebrochen ist, die furchtbare Zeit, wünscht er sich nichts, weil er über allen Wünschen steht, weil er genug hat, weil er gesättigt ist, weil er selber der Künstler seines Lebens ist und es jede Stunde nach Gutdünken neu für sich erschafft. Und wie leicht, wie natürlich lässt sich diese märchenhafte, fantastische Welt erschaffen! Als wäre alles nicht nur einfach Blendwerk! Wahrhaftig, mitunter könnte man glauben, dieses ganze Leben wäre weder Gefühlsaufwallung noch Täuschung noch Trug der Fantasie, sondern tatsächlich etwas Wirkliches, Echtes, Stoffliches! Wieso, Nastenka, sagen Sie mir doch, wieso stockt in solchen Momenten der Atem? wieso beschleunigt sich durch irgendeine Zauberei, durch eine unbekannte Willkür der Puls, entströmen den Augen des Träumers Tränen, glühen seine bleichen, benetzten Wangen und wird sein ganzes Sein von einer unwiderstehlichen Freudigkeit erfüllt? Wieso verfliegen ganze schlaflose Nächte wie ein Augenblick, in unerschöpflichem Jubel und Glück, und erst wenn der rosa Strahl des Morgens ins Fenster leuchtet und der Sonnenaufgang mit seinem diffusen fantastischen Licht das trübselige Zimmer erhellt, wie das bei uns in Pe-

tersburg so ist, wirft sich unser Träumer, erschöpft, abge-
kämpft, aufs Bett und entschlummert, während sein krankhaft erschütterter Geist vor Entzücken erstirbt und sein Herz
in süßem Schmerz vergeht? Ja, Nastenka, man täuscht sich
und glaubt als Betrachter unwillkürlich, dass seine Seele von
echter, wahrer Leidenschaft aufgewühlt wird, glaubt unwillkürlich, dass seine körperlosen Traumbilder etwas Lebendi-
ges, Greifbares enthalten! Und wie sehr man sich täuscht –
zum Beispiel ist jetzt die Liebe in seine Brust eingezogen mit
all ihrer unerschöpflichen Freude, mit all ihrem quälenden
Leid … Sehen Sie ihn nur an und überzeugen Sie sich! Können Sie bei seinem Anblick glauben, liebe Nastenka, dass er
jene, die er in seinen rasenden Träumen so sehr liebte, tatsächlich nie gekannt hat? Hat er sie etwa wirklich nur in blo-
ßen lockenden Trugbildern gesehen und diese Leidenschaft
wirklich nur im Traum erlebt? Sind sie wirklich nicht die vielen Jahre Hand in Hand durchs Leben gegangen – nur sie, zu
zweit, indem sie der ganzen Welt entsagten und jedes sein
Universum, sein Leben mit dem des anderen vereinte? Lag
sie wirklich nicht zu später Stunde, als die Zeit der Trennung
kam, an seiner Brust, schluchzend und trauernd, ohne den
Sturm zu hören, der unter dem grimmigen Himmel tobte,
ohne den Wind zu hören, der die Tränen von ihren schwarzen Wimpern riss und mit sich forttrug? War das wirklich
alles nur ein Traum – auch der Garten, trostlos, vernachläs-
sigt und verwildert, mit moosbewachsenen Wegen, abgeschieden, düster, wo sie so oft zu zweit spazieren gingen,
hofften, trauerten, liebten, einander lange liebten, so lange

und so zärtlich? Auch das absonderliche Urgroßvaterhaus, wo sie als verheiratete Frau so viele Jahre abgeschieden und kummervoll mit ihrem alten, griesgrämigen Mann lebte, der, stets schweigsam und gallig, sie beide einschüchterte, die scheu waren wie Kinder und zaghaft und ängstlich ihre Liebe voreinander verhehlten? Wie quälten sie sich, wie fürchteten sie sich, wie unschuldig, wie rein war ihre Liebe und (wie sollte es anders sein, Nastenka) wie schlecht waren die Menschen! Und, mein Gott, hat er sie später wirklich nicht wiedergesehen, weit weg von den heimatlichen Gestaden, unter fremdem Himmel, südlichem, heißem, in der wundervollen ewigen Stadt, auf einem glanzvollen Ball, bei dröhnender Musik, in einem Palazzo (wo auch sonst!), der in einem Lichtermeer versank, auf dem myrten- und rosenumrankten Balkon, wo sie ihn erkannte, hastig ihre Maske abnahm und sich mit den gehauchten Worten: ›Ich bin frei‹ bebend in seine Arme warf, und indem sie sich mit einem Schrei des Entzückens aneinanderpressten, vergaßen sie im selben Moment den Kummer, die Trennung, das Leid, das düstere Haus, den alten Mann, den finsteren Garten in der fernen Heimat, die Bank, auf der sie sich nach einem letzten heißen Kuss aus seinen in verzweifelter Pein erstarrten Armen gerissen hatte … Oh, geben Sie mir recht, Nastenka, dass man aufschreckt, verlegen wird und errötet wie ein Schuljunge, der gerade einen im Nachbargarten gestohlenen Apfel in seine Tasche gestopft hat, wenn ein langer Laban, ein Spaßvogel und Possenreißer, Ihr ungebetener Freund, Ihre Tür öffnet und ruft, als wäre nichts gewesen: ›Bruderherz, ich komme

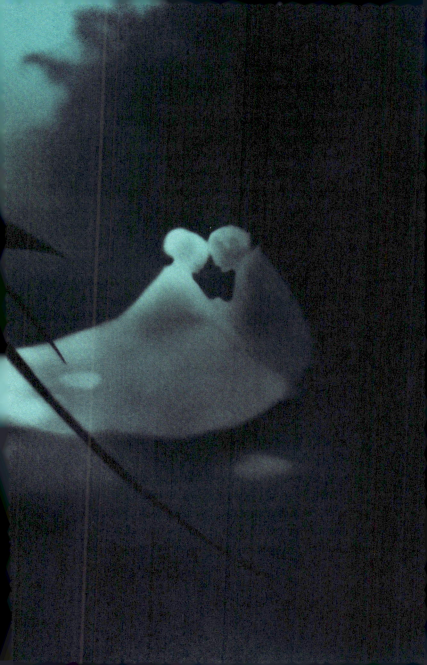

gerade aus Pawlowsk!‹ Mein Gott! der alte Graf ist tot, eine
Zeit unaussprechlichen Glücks bricht an – und da kommen
Leute aus Pawlowsk!«

Meine pathetischen Ausrufe beschloss ich mit einem
ebenso pathetischen Schweigen. Ich weiß noch, dass ich
mich unbedingt irgendwie zum Lachen zwingen wollte, weil
ich schon spürte, wie sich ein feindseliger kleiner Dämon in
mir regte, wie meine Kehle eng wurde, mein Kinn bebte und
mir das Wasser in die Augen stieg … Ich hatte erwartet, dass
Nastenka, die mir, die klugen Augen weit geöffnet, gelauscht
hatte, aus vollem Hals in ihr kindliches, unwiderstehlich
fröhliches Gelächter ausbrechen würde, und bereute schon,
dass ich mich so weit vorgewagt, dass ich erzählt hatte, was
mir schon lange auf der Seele brannte und worüber ich reden konnte wie ein Buch, weil ich das Urteil über mich schon
vor langer Zeit gefällt hatte, bereute, dass ich der Versuchung
nicht widerstanden hatte, es nun zu verkünden, während ich,
ehrlich gesagt, nicht auf Verständnis hoffte; doch zu meiner
Überraschung schwieg sie eine Zeitlang, drückte mir dann
leicht die Hand und fragte mit einer Art scheuer Anteilnahme:

»Haben Sie etwa wirklich Ihr ganzes Leben so verbracht?«

»Ja, Nastenka«, antwortete ich, »mein ganzes Leben, und
wie es scheint, werde ich es auch so beenden.«

»Nein, das geht nicht«, sagte sie beunruhigt, »und so wird
es auch nicht kommen; da könnte ich ja genauso gut mein
ganzes Leben neben meiner Babuschka verbringen. Hören
Sie, wissen Sie, dass es gar nicht gut ist, so zu leben?«

»Ich weiß, Nastenka, ich weiß!«, rief ich, außerstande, mein Gefühl zu bezähmen. »Und jetzt bin ich überzeugter denn je, dass ich meine besten Jahre bloß vergeudet habe! Jetzt weiß ich das und empfinde es umso schmerzlicher, weil Gott Sie mir gesandt hat, mein guter Engel, um mir das zu sagen und zu zeigen. Jetzt, wenn ich neben Ihnen sitze und mit Ihnen rede, habe ich richtig Angst vor der Zukunft, weil die Zukunft mir wieder nur Einsamkeit, wieder nur dieses abgestandene, nutzlose Leben verspricht; und wovon kann ich dann träumen, wenn ich im Wachen neben Ihnen so glücklich war! Oh, seien Sie gesegnet, liebes Mädchen, dass Sie mich nicht gleich abgewiesen haben, dass ich jetzt schon sagen kann, ich hätte in meinem Leben wenigstens zwei Abende gelebt!«

»Ach nein, nein!«, rief Nastenka, und Tränen glänzten in ihren Augen, »dabei darf es nicht bleiben; so dürfen wir nicht auseinandergehen! Was sind schon zwei Abende!«

»Ach, Nastenka, Nastenka! wissen Sie, dass Sie mich auf lange Zeit mit mir versöhnt haben? wissen Sie, dass ich ab jetzt schon nicht mehr so schlecht von mir denken werde wie früher? Wissen Sie, dass ich vielleicht sogar nicht mehr darüber trauern werde, dass ich Verbrechen und Sünden begangen habe, denn ein solches Leben ist verbrecherisch und sündig? Und denken Sie nicht, ich würde übertreiben, um Gottes willen, denken Sie das nicht, Nastenka, denn manchmal überkommt mich eine so schlimme, so schreckliche Schwermut … Weil ich dann zu glauben beginne, dass ich niemals in der Lage sein werde, ein echtes Leben zu führen;

weil ich schon geglaubt habe, ich hätte jeden Takt und jedes Gespür für Echtes und Wirkliches verloren; schließlich, weil ich mich selbst verflucht habe; weil mich nach meinen Fantasienächten bisweilen eine Ernüchterung befällt, die fürchterlich ist! Unterdessen hörst du, wie ringsum die Menschenmenge im Wirbel des Lebens kreist und lärmt, du hörst, du siehst, wie die Menschen leben – sie leben im Wachen, du siehst, dass ihr Leben nicht auf Bestellung verläuft, nicht wie ein Traum oder ein Phantom verfliegt, dass ihr Leben sich ewig erneuert, ewig jung ist und keine Stunde der anderen gleicht, während die furchtsame Fantasie trist und bis zur Abgeschmacktheit einförmig ist, eine Sklavin des Schattens, der Idee, eine Sklavin der erstbesten Wolke, die plötzlich die Sonne verdeckt und das echte Petersburger Herz mit Trauer erfüllt – und wenn du trauerst, was vermag da noch die Fantasie? Du spürst, wie sie schließlich ermüdet, wie sie sich in ewiger Anspannung erschöpft, die unerschöpfliche Fantasie, denn du wirst ja erwachsen, wächst aus deinen früheren Idealen heraus: sie zerfallen zu Staub, gehen in Trümmer; und wenn es kein anderes Leben gibt, muss man es aus denselben Trümmern wieder zusammensetzen. Aber die Seele fordert und erstrebt doch etwas anderes! Und der Träumer stochert umsonst in seinen alten Träumereien wie in Asche, sucht in der Asche nach einem Fünkchen, um es anzufachen, um mit der erneuerten Flamme das erkaltete Herz zu wärmen und darin alles wiederzuerwecken, was ihm früher so lieb war, was die Seele bewegte, das Blut in Wallung brachte, Tränen in die Augen trieb und so prachtvoll täuschte! Wissen Sie, Nastenka, wie weit es mit mir gekommen ist? wissen Sie, dass ich schon gezwungen bin, Jahrestage meiner Gefühle zu begehen, Jahrestage dessen, was mir früher so lieb war und was in Wirklichkeit nie existiert hat – weil es ja die Jahrestage dummer, körperloser Träume sind –, und dazu gezwungen bin ich, weil auch keine dummen Träume mehr existieren, da ich nichts habe, um sie zu erwerben: auch Träume müssen ja erworben werden! Wissen Sie, dass ich mich jetzt am liebsten an Orte erinnere, wo ich irgendwann auf meine Art glücklich war, und sie zu einer bestimmten Zeit aufsuche, dass ich meine Gegenwart am liebsten passend zur unwiederbringlichen Vergangenheit ausrichte und oft wie ein Schatten, ohne Not und ohne Ziel, verzagt und kummervoll durch Petersburger Gassen und Straßen streife? Was gibt es da alles für Erinnerungen! Zum Beispiel, dass du vor genau einem Jahr, exakt zu dieser Zeit und Stunde, ebenso einsam, ebenso verzagt wie jetzt genau hier über ebendieses Trottoir gewandert bist! Oder du erinnerst dich, dass deine Träume auch damals kummervoll waren, dass es früher nicht besser war, aber dennoch hast du das Gefühl, dass du leichter und ruhiger gelebt hast, dass es diese schwarzen Gedanken nicht gab, die dich heute verfolgen; dass es diese Gewissensbisse nicht gab, die düsteren, finsteren Gewissensbisse, die dir heute weder Tag noch Nacht Ruhe lassen. Und du fragst dich: wo sind deine Träume hin? und wiegst den Kopf und sagst: wie schnell verfliegen die Jahre! Und fragst dich wieder: was hast du bloß mit deinen Jahren gemacht? wo hast du deine beste Zeit begraben? Hast du gelebt oder nicht? Schau nur, sagst du zu dir, schau nur, wie es allmählich kalt auf der Welt wird. Noch ein paar Jahre, und dann kommen die freudlose Einsamkeit, das klapprige Alter mit der Krücke, und ihnen nach Trübsinn und Gram. Deine Fantasiewelt verblasst, deine Träume ersterben, sie welken und fallen ab wie gelbe Blätter von den Bäumen … Oh, Nastenka! Wie traurig ist es dann, allein zu sein, ganz allein, und nicht einmal etwas zu haben, dem man nachtrauern kann – nichts, rein gar nichts … denn alles Verlorene, alles, alles war nichts, war eine dumme runde Null, war bloße Träumerei!«

»Oh, bitte nicht noch mehr zum Weinen bringen!«, sprach Nastenka, während sie sich eine Träne abwischte, die ihr aus dem Auge gekullert war. »Jetzt ist Schluss damit! Jetzt sind wir zu zweit; was auch immer mit mir ist, wir beide werden uns jetzt nie mehr trennen. Hören Sie. Ich bin ein einfaches Mädchen, ich habe wenig gelernt, obwohl Babuschka einen Lehrer für mich eingestellt hat; aber wahrhaftig, ich verstehe Sie, denn alles, was Sie mir gerade wiedererzählt haben, habe ich selbst erlebt, als Babuschka mich damals an ihr Kleid gesteckt hat. Natürlich hätte ich es nicht so gut erzählen können wie Sie, ich habe nichts gelernt«, fügte sie schüchtern hinzu, weil sie immer noch eine Art Respekt vor meiner pathetischen Rede und meinem hohen Stil empfand, »aber ich bin sehr froh, dass Sie vollkommen offen zu mir waren. Jetzt kenne ich Sie, durch und durch, ganz wie Sie sind. Und wissen Sie was? ich möchte Ihnen nun auch meine Geschichte erzählen, von Anfang bis Ende, ohne etwas auszulassen, und

Sie geben mir dann nachher einen Rat. Sie sind sehr klug; versprechen Sie, dass Sie mir einen Rat geben?«

»Ach, Nastenka«, antwortete ich, »ich war zwar noch nie ein Ratgeber und noch weniger ein kluger, aber eines begreife ich jetzt: wenn wir so weitermachen, kommt etwas sehr Kluges dabei heraus, und wir geben einander eine Menge kluger Ratschläge! Nun, meine süße Nastenka, welchen Rat brauchen Sie? Sagen Sie es mir frei heraus: ich bin jetzt so froh, glücklich, kühn und klug, dass mir die Worte bestimmt leicht von den Lippen fließen.«

»Nein, nein«, unterbrach Nastenka mich lachend, »ich brauche nicht nur einen klugen Rat, er muss auch herzlich und brüderlich sein, als würden Sie mich schon seit Ewigkeiten lieben!«

»Aber ja, Nastenka, aber ja!«, rief ich begeistert aus, »und wenn ich Sie schon zwanzig Jahre lieben würde, ich könnte Sie nicht stärker lieben als jetzt!«

»Ihre Hand!«, sagte Nastenka.

»Hier!«, antwortete ich und schlug ein.

»Also dann, beginnen wir meine Geschichte!«

Nastenkas Geschichte

»Die Hälfte der Geschichte kennen Sie schon, das heißt, Sie wissen, dass ich eine alte Babuschka habe …«

»Wenn die andere Hälfte genauso kurz ist …«, fiel ich ihr lachend ins Wort.

»Seien Sie still und hören Sie zu. Vorab eine Bedingung: unterbrechen Sie mich nicht, sonst komme ich noch durcheinander. Also, hören Sie brav zu. Ich habe eine alte Babuschka. Ich kam zu ihr, als ich noch ganz klein war, weil meine Eltern beide gestorben waren. Babuschka war früher bestimmt wohlhabend, denn sie erzählt bis heute von besseren Tagen. Sie hat mir auch Französisch beigebracht und dann einen Lehrer für mich eingestellt. Als ich fünfzehn war (jetzt bin ich siebzehn), hörten wir mit dem Lernen auf. Damals war es auch, dass ich über die Stränge schlug; was ich getan habe, sage ich Ihnen nicht; nur, dass es ein recht kleines Vergehen war. Aber Babuschka rief mich eines Morgens zu sich und sagte, sie wäre ja blind und könnte nicht auf mich aufpassen, nahm eine Nadel und steckte mein Kleid an ihrs und sagte gleich darauf, so würden wir das ganze Leben sitzen, das heißt, wenn ich mich nicht besserte. Mit einem Wort, in der ersten Zeit konnte ich keinen Schritt von ihr weg tun: arbeiten, lesen, lernen – alles musste ich neben der Babuschka. Einmal habe ich es mit einer List versucht und Fjokla überredet, meinen Platz einzunehmen. Fjokla ist unsere Hilfe, sie ist taub. Fjokla setzte sich an meiner Stelle hin; Babuschka war gerade im Sessel eingeschlafen, und ich ging kurz zu einer Freundin. Tja, das nahm ein böses Ende. Babuschka wachte auf, als ich noch weg war, und fragte etwas, weil sie ja dachte, ich würde nach wie vor brav an meinem Platz sitzen. Fjokla nun sah, dass Babuschka etwas fragte, konnte aber nicht hören, was, überlegte hin und her, was sie tun sollte, zog die Nadel heraus und machte, dass sie fortkam …«

Hier stockte Nastenka und brach in Gelächter aus. Ich stimmte ein. Da hörte sie gleich auf.

»Hören Sie, lachen Sie nicht über Babuschka. Ich lache ja nur, weil es komisch ist ... Babuschka ist eben so, da kann man nichts machen, und trotzdem, ein bisschen liebe ich sie doch. Na ja, damals bekam ich mein Fett weg: ich wurde sofort wieder an meinen Platz gesetzt und durfte mich überhaupt nicht mehr rühren.

Halt, ich habe ganz vergessen, Ihnen zu sagen, dass wir ein Haus haben, das heißt, Babuschka hat ein Haus, das heißt, ein kleines Häuschen eigentlich, bloß drei Fenster, ganz aus Holz und genauso alt wie Babuschka; und oben noch ein Stockwerk; in den Oberstock zog nun der neue Mieter.«

»Also hat es auch einen alten Mieter gegeben?«, warf ich ein.

»Aber natürlich«, antwortete Nastenka, »und der konnte besser still sein als Sie. Freilich brachte er ohnehin kaum ein Wort heraus. Es war ein alter Mann, dürr, stumm, blind, lahm, den schließlich nichts mehr am Leben hielt und der also starb; danach musste ein neuer Mieter her, denn ohne Untermieter können wir nicht überleben: die Miete und Babuschkas Rente sind fast unsere gesamten Einkünfte. Der neue Mieter war, ausgerechnet, ein junger Mann, nicht von hier, ein Zugezogener. Babuschka hat ihn genommen, weil er nicht um die Miete gefeilscht hat, aber nachher fragt sie mich: ›Nastenka, ist unser Mieter jung oder nicht?‹ Ich will nicht lügen: ›Tja‹, sage ich, ›ganz jung ist er nicht mehr, Babuschka, aber auch nicht alt.‹ ›Und, hat er ein angenehmes Äußeres?‹, fragt Babuschka.

Ich will wieder nicht lügen: ›Ja, Babuschka, das hat er.‹ Und Babuschka sagt: ›Ach! Eine Strafe Gottes! Ich sage dir das, Enkelin, damit du dich nicht etwa in ihn verguckst. Was sind das nur für Zeiten! Man denke, bloß ein kleiner Mieter und dabei ein angenehmes Äußeres: früher hätte es das nicht gegeben!‹

Babuschka hätte am liebsten alles so wie früher! Früher war sie jünger, früher schien die Sonne wärmer, früher wurde die Sahne nicht so schnell sauer – früher war alles besser! Ich habe nichts dazu gesagt, aber bei mir gedacht: wieso setzt Babuschka mir eigentlich einen Floh ins Ohr, wieso fragt sie, ob der Mieter jung ist, ob er hübsch ist? Aber das ging mir nur kurz durch den Kopf, und gleich habe ich wieder Maschen gezählt, meinen Strumpf gestrickt, und dann habe ich es ganz vergessen.

Da kommt einmal der Mieter am Morgen zu uns und fragt, wie es mit dem Versprechen steht, die Wände in seinem Zimmer zu tapezieren. Man kommt ins Gespräch, Babuschka ist ja redselig, und dann sagt sie: ›Nastenka, hol mir doch mal das Rechenbrett aus dem Schlafzimmer.‹ Ich bin gleich aufgesprungen, über und über rot, ich wusste gar nicht warum, und hatte ganz vergessen, dass ich festgesteckt war; ich hätte ja leise die Nadel lösen können, damit der Mieter nichts merkt, aber nein – losgestürzt bin ich, dass Babuschkas Sessel über den Boden schleifte. Als ich sah, dass der Mieter jetzt alles über mich wusste, wurde ich knallrot, blieb wie angenagelt stehen und brach plötzlich in Tränen aus – ich fühlte mich so beschämt und elend in dem Moment, ich wäre am liebsten in den Erdboden versunken! Babuschka rief: ›Was stehst du herum?‹ – und ich weinte nur noch ärger … Als der Mieter das sah, als er sah, dass ich mich vor ihm schämte, verneigte er sich und ging auf der Stelle fort.

Von dem Moment an war ich, sobald ich ein Geräusch im Flur hörte, mehr tot als lebendig. Aha, denke ich, der Mieter, da muss ich wohl für alle Fälle leise die Nadel rausziehen. Aber er war es nie, er kam nicht. Zwei Wochen vergingen; da ließ der Mieter durch Fjokla ausrichten, er hätte viele französische Bücher, es wären lauter gute Bücher, man könnte sie also lesen; ob Babuschka wohl gerne hätte, dass ich sie ihr vorlese, damit ihr nicht langweilig ist? Babuschka nahm das Angebot mit Dank an, erkundigte sich aber, ob die Bücher moralisch wären oder nicht, denn wenn sie unmoralisch wären, dann, sagt sie, ›darfst du sie auf keinen Fall lesen, Nastenka, sonst lernst du etwas Schlechtes‹.

›Was kann ich denn lernen, Babuschka? Was steht da drin?‹

›Ah!‹, sagt sie, ›da wird beschrieben, wie junge Männer sittsame Fräuleins verführen, wie sie vorgeben, sie heiraten zu wollen, und sie so aus dem Elternhaus entführen, wie sie diese unglücklichen Fräuleins später ihrem Schicksal überlassen und die dann auf die jämmerlichste Weise zugrunde gehen. Ich habe selber‹, sagt Babuschka, ›viele solcher Bücher gelesen, und alles‹, sagt sie, ›ist so herrlich beschrieben, dass man nächtelang wach bleibt und heimlich liest. Also,

Nastenka‹, sagt sie, ›sieh zu und lies so etwas nicht. Was für Bücher hat er denn geschickt?‹

›Lauter Romane von Walter Scott, Babuschka.‹

›Romane von Walter Scott! Aber halt, ob das auch keine Finte ist? Schau mal nach, ob er nicht etwa Liebesbriefchen in die Bücher gelegt hat!‹

›Nein‹, sage ich, ›da sind keine Briefchen, Babuschka.‹

›Du musst unter dem Einband gucken, sie stecken sie manchmal in den Einband, die Schurken …‹

›Nein, Babuschka, unterm Einband ist auch nichts.‹

›Na, dann ist's ja gut!‹

So fingen wir also an, Walter Scott zu lesen, und nach einem Monat hatten wir fast die Hälfte durch. Dann schickte er uns immer mehr. Puschkin schickte er, und schließlich konnte ich überhaupt nicht mehr ohne Bücher sein und gab den Gedanken auf, einen chinesischen Prinzen heiraten zu wollen.

So standen die Dinge, als ich einmal unserem Mieter zufällig auf der Treppe begegnete. Ich musste für Babuschka etwas besorgen. Er blieb stehen, ich wurde rot, er wurde rot; doch dann lacht er, grüßt, erkundigt sich nach Babuschkas Befinden und sagt: ›Und, haben Sie die Bücher gelesen?‹ Ich sage: ›Ja, das habe ich.‹ Er sagt: ›Was hat Ihnen denn am besten gefallen?‹ Ich: ›Ivanhoe und Puschkin.‹ Dabei blieb es bei dieser Begegnung.

Eine Woche später lief ich ihm wieder auf der Treppe über den Weg. Dieses Mal hatte mich nicht Babuschka geschickt, ich musste selber etwas besorgen. Es war kurz vor drei, der Mieter kam um die Zeit immer nach Hause. ›Guten Tag‹, sagt er. Und ich: ›Guten Tag.‹

›Ist Ihnen nicht langweilig‹, sagt er, ›den ganzen Tag bei der Babuschka zu sitzen?‹

Wie er das fragte, wurde ich rot, ich weiß nicht warum, und fühlte mich wieder beschämt und gekränkt, wohl deshalb, weil mich jetzt schon andere zu dieser Sache ausforschten. Eigentlich wollte ich ja ohne Antwort weggehen, aber ich fand nicht die Kraft dazu.

›Hören Sie‹, sagt er, ›Sie sind ein gutes Mädchen! Entschuldigen Sie, dass ich so mit Ihnen spreche, aber ich versichere Ihnen, dass ich nur das Beste für Sie will, noch mehr als Ihre Babuschka. Haben Sie denn keine Freundinnen, die Sie besuchen könnten?‹

Ich sage, nein, ich hätte mal eine gehabt, Maschenka, aber die wäre nach Pskow gezogen.

›Hören Sie‹, sagt er, ›wollen Sie mit mir ins Theater gehen?‹

›Ins Theater? und was sagt Babuschka dazu?‹

›Sie könnten ja‹, sagt er, ›heimlich mitkommen …‹

›Nein‹, sage ich, ›Babuschka hintergehen will ich nicht. Leben Sie also wohl!‹

›Also dann, leben Sie wohl‹, sagt er, geantwortet hat er mir nicht.

Aber nach dem Essen kam er zu uns; setzte sich, sprach lange mit Babuschka, erkundigte sich, was sie tut, ob sie ausfährt, Bekannte hat – und plötzlich sagte er: ›Ich habe für heute eine Loge in der Oper genommen; der Barbier von Sevilla wird gegeben, meine Bekannten wollten erst mitkommen, aber dann haben sie abgesagt, und nun habe ich die Karte zur Verfügung.‹

›Der Barbier von Sevilla!‹, rief Babuschka aus, ›ist das etwa derselbe Barbier, der auch früher gegeben wurde?‹

›Ja‹, sagte er, ›das ist derselbe‹, und sah mich an. Und ich verstand alles, wurde rot, und mein Herz hüpfte vor freudiger Erwartung!

›Den kenne ich‹, sagt Babuschka, ›und ob ich den kenne. Ich habe früher selbst im Haustheater die Rosina gespielt!‹

›Ja, wollen Sie dann heute nicht mitkommen?‹, sagt der Mieter. ›Meine Karte verfällt sonst.‹

›Aber ja, gehen wir doch in die Oper‹, sagt Babuschka, ›warum auch nicht? Meine Nastenka hier war noch nie im Theater.‹

Mein Gott, was für eine Freude! Wir machten uns sofort zurecht, versahen uns mit allem Nötigen und fuhren los. Babuschka ist zwar blind, aber sie wollte gerne die Musik hören, und außerdem ist sie ein guter Mensch: vor allen Dingen wollte sie mir eine Freude machen, alleine wären wir ja nie dort hingekommen. Was für eine Wirkung der Barbier von Sevilla auf mich hatte, sage ich Ihnen nicht, aber unser Mieter sah mich den ganzen Abend so freundlich an und sprach so freundlich, dass ich sofort begriff, dass er mich am Vormittag nur auf die Probe stellen wollte, als er vorschlug, ich sollte allein mitkommen. Ach, was für eine Freude! Ich legte mich so stolz, so hochgestimmt schlafen, mein Herz klopfte so stark, dass ich wie im Fieber war und die ganze Nacht vom Barbier von Sevilla fantasierte.

Ich hätte gedacht, danach würde er immer öfter kommen – nichts da. Er kam fast gar nicht mehr. So einmal im Monat schaute er herein, und immer nur, um uns ins Theater einzuladen. Zweimal sind wir danach wieder hingegangen. Aber damit war ich überhaupt nicht zufrieden. Ich begriff, dass er mich einfach bedauerte, weil ich bei Babuschka so ein Schattendasein führte, und damit hatte es sich. Und das ging so weiter, bis ich einen Rappel bekam: ich konnte nicht mehr stillsitzen, nicht mehr lesen, nicht mehr arbeiten, mal habe ich ständig gelacht und Babuschka geärgert, mal habe ich nur noch geweint. Schließlich war ich abgemagert und nahe daran, krank zu werden. Die Opernsaison ging zu Ende, und der Mieter kam gar nicht mehr zu uns; wenn wir uns begegneten – natürlich immer auf der Treppe –, verbeugte er sich so stumm, so ernst, als hätte er keine Lust zu sprechen, und war schon zur Tür hinaus, wenn ich noch auf der halben Treppe stand, rot wie eine Kirsche, weil alles Blut mir zu Kopf stieg, wenn ich ihm begegnete.

Jetzt bin ich auch gleich fertig. Genau vor einem Jahr, im Mai, kam der Mieter zu uns und sagte zu Babuschka, er hätte seine Sachen hier geregelt und müsste wieder für ein Jahr nach Moskau fahren. Als ich das hörte, wurde ich blass und sank wie tot auf einen Stuhl. Babuschka merkte nichts davon; er erklärte, dass er bei uns ausziehen würde, verneigte sich und ging.

Was tun? Ich überlegte hin und her, grämte mich schrecklich und fasste schließlich einen Entschluss. Am nächsten Tag sollte er abreisen, und ich beschloss, der Sache am Abend,

wenn Babuschka schlafen gegangen war, ein Ende zu setzen. So geschah es auch. Ich schnürte alles, was an Kleidern da war, was ich an Wäsche brauchte, in ein Bündel, und mit dem Bündel in der Hand stieg ich, mehr tot als lebendig, in den Oberstock zu unserem Mieter hinauf. Ich glaube, ich brauchte für die Treppe eine ganze Stunde. Als ich dann seine Tür öffnete und er mich erblickte, schrie er auf. Er dachte, ich wäre eine Erscheinung, und stürzte los, um mir Wasser zu geben, weil ich mich kaum auf den Beinen halten konnte. Mein Herz hämmerte so stark, dass mir der Kopf schmerzte und mir schwarz vor Augen wurde. Als ich wieder zu mir kam, legte ich als Erstes mein Bündel auf sein Bett, setzte mich daneben, schlug die Hände vors Gesicht und heulte los wie ein Schlosshund. Er hatte offenbar alles gleich verstanden und stand mit blassem Gesicht vor mir und sah mich so traurig an, dass es mir das Herz zerriss.

›Hören Sie‹, begann er, ›hören Sie, Nastenka, ich kann nichts tun; ich bin arm; ich habe einstweilen nichts, nicht einmal eine ordentliche Stelle; wovon würden wir leben, wenn ich Sie denn heiraten würde?‹

Wir redeten lange, aber schließlich wurde ich hysterisch, sagte, ich könnte nicht mehr mit Babuschka leben, ich würde weglaufen, ich wollte nicht, dass man mich mit Nadeln feststeckte, und ich würde, wenn er nur wollte, mit ihm nach Moskau fahren, denn ich könnte ohne ihn nicht leben. Scham, Liebe, Stolz – alles stritt in meinem Innern miteinander, und ich sank beinahe in Krämpfen auf das Bett zurück. Ich hatte solche Angst vor einer Zurückweisung!

Er saß eine Zeitlang stumm da, dann stand er auf, trat zu mir und nahm meine Hand.

›Hören Sie, meine gute, meine liebe Nastenka!‹, begann er, ebenfalls unter Tränen, ›hören Sie. Ich schwöre Ihnen, wenn ich irgendwann einmal imstande bin zu heiraten, werden auf jeden Fall Sie es sein, die mich glücklich macht; ich versichere Ihnen, von jetzt an können nur Sie und niemand sonst mich glücklich machen. Hören Sie: ich fahre nach Moskau und werde genau ein Jahr lang wegbleiben. Ich hoffe, ich kann meine Angelegenheiten endgültig regeln. Wenn ich zurückkehre, und falls Sie mich dann noch lieben, werden wir glücklich sein, das schwöre ich Ihnen. Jetzt ist es unmöglich, ich bin nicht in der Lage und habe nicht das Recht, auch nur irgendetwas zu versprechen. Doch ich wiederhole, wenn es nicht in einem Jahr so weit ist, dann irgendwann ganz bestimmt – natürlich nur, wenn Sie nicht inzwischen jemand anderen vorziehen, denn ich vermag es nicht und wage es nicht, Sie durch ein Wort an mich zu binden.‹

Also, das sagte er zu mir und reiste am nächsten Tag ab. Wir haben gemeinsam beschlossen, Babuschka nichts davon zu sagen. Er wollte das so. Und jetzt ist meine Geschichte auch schon fast zu Ende. Genau ein Jahr ist das her. Er ist zurückgekehrt, er ist schon volle drei Tage hier, und … und …«

»Und was?«, rief ich, begierig, das Ende zu hören.

»Und er ist bis jetzt nicht aufgetaucht!«, antwortete Nastenka, indem sie sichtlich alle Kraft zusammennahm. »Er lässt nichts von sich hören …«

Hier verstummte sie, schwieg eine Weile, ließ den Kopf

hängen und brach plötzlich, die Hände vors Gesicht geschlagen, in so bitterliches Schluchzen aus, dass sich mir das Herz im Leibe umdrehte.

Einen solchen Ausgang hatte ich nicht erwartet.

»Nastenka!«, beschwor ich sie zaghaft, »Nastenka! um Gottes willen, weinen Sie nicht! Woher wissen Sie das denn? vielleicht ist er noch nicht hier …«

»Doch, doch!«, protestierte Nastenka. »Er ist hier, das weiß ich. Wir hatten etwas abgemacht, damals noch, am Abend vor seiner Abreise. Als wir einander alles gesagt hatten, was ich Ihnen wiedererzählt habe, und alles abgesprochen war, gingen wir hierher, auf den Uferweg. Es war zehn Uhr; wir saßen auf dieser Bank; ich hatte aufgehört zu weinen, es war so schön, ihm zuzuhören … Er sagte, er würde gleich nach seiner Rückkehr zu uns kommen, und wenn ich ihn nicht abweisen würde, würden wir Babuschka alles erzählen. Jetzt ist er hier, das weiß ich, und er kommt nicht, er kommt nicht!«

Und von neuem brach sie in Tränen aus.

»Mein Gott! Kann man denn gar nichts gegen diesen Kummer tun?«, rief ich und sprang gänzlich verzweifelt auf. »Sagen Sie, Nastenka, vielleicht könnte ja ich mit ihm sprechen …?«

»Ginge das etwa?«, fragte sie und hob jäh den Kopf.

»Nein, natürlich nicht!«, besann ich mich. »Aber das hier: Schreiben Sie ihm.«

»Nein, das ist unmöglich, das geht nicht!«, antwortete sie entschieden, doch sie senkte dabei den Kopf und sah mich nicht an.

»Das geht nicht? warum denn nicht?«, fuhr ich, angetan von meiner Idee, fort. »Es muss eben ein ganz besonderer Brief sein, Nastenka! Brief ist nicht gleich Brief … Ach, Nastenka, ich habe recht! Vertrauen Sie mir, vertrauen Sie mir! Von mir bekommen Sie keinen schlechten Rat. Das lässt sich alles machen! Sie haben doch den ersten Schritt getan – warum wollen Sie dann jetzt …«

»Es geht nicht, es geht nicht! Dann dränge ich mich ja im Grunde auf …«

»Ach, meine liebe kleine Nastenka!« unterbrach ich sie und musste unwillkürlich lächeln, »nicht doch; alles in allem sind Sie im Recht, weil er Ihnen sein Wort gegeben hat. Überhaupt sehe ich ganz klar, dass er ein taktvoller Mensch ist, dass er redlich gehandelt hat«, fuhr ich fort und begeisterte mich mehr und mehr für die Logik meiner Argumente und Standpunkte, »ja, wie hat er denn gehandelt? Er hat sich durch ein Versprechen gebunden. Er hat gesagt, dass er niemanden heiraten wird als Sie, wenn er überhaupt heiratet; Ihnen aber hat er die volle Freiheit gelassen, ihn auch jetzt noch abzuweisen … Also können Sie den ersten Schritt tun, Sie haben das Recht dazu, diesen Vorteil haben Sie ihm gegenüber, und sei es nur, zum Beispiel, um ihm sein Wort zurückzugeben …«

»Hören Sie, wie würden Sie schreiben?«

»Was schreiben?«

»Den Brief natürlich.«

»Ich würde so schreiben: Sehr geehrter Herr …«

»Muss das sein – sehr geehrter Herr?«

»Unbedingt! Wobei – warum eigentlich? ich glaube …«

»Egal! weiter!«

»›Sehr geehrter Herr! Ich bitte zu entschuldigen, dass ich …‹ Halt, nein, eine Entschuldigung ist überhaupt nicht nötig! Die Sache rechtfertigt sich selbst, schreiben Sie einfach: ›Ich schreibe Ihnen. Verzeihen Sie meine Ungeduld; doch ich war ein ganzes Jahr lang glücklich, weil ich Hoffnung hatte; ist es meine Schuld, dass ich jetzt keinen Tag des Zweifels mehr ertragen kann? Jetzt sind Sie eingetroffen, und Ihre Absichten haben sich womöglich geändert. Dann sagt dieser Brief Ihnen, dass ich nicht hadere und Ihnen keine Schuld gebe. Ich gebe Ihnen nicht die Schuld daran, dass ich nicht über Ihr Herz gebiete; das ist dann eben mein Los! Sie sind ein Ehrenmann. Sie werden sich über meine ungeduldigen Zeilen nicht belustigen und nicht ärgern. Denken Sie daran, dass ein armes Mädchen Ihnen schreibt, dass sie allein ist, niemand sie unterweisen oder ihr raten kann und dass sie nie imstande war, auch nur über ihr eigenes Herz zu gebieten. Doch verzeihen Sie mir, dass sich für einen Moment der Zweifel in meine Seele stahl. Sie sind nicht imstande, auch nur in Gedanken diejenige zu kränken, die Sie so sehr liebte und liebt.‹«

»Ach ja! das ist genau so, wie ich es mir gedacht habe!«, rief Nastenka, und ihre Augen strahlten vor Freude. »Oh! Sie haben meine Zweifel zerstreut, Gott selber hat Sie mir gesandt! Ich danke Ihnen, ich danke Ihnen!«

»Wofür? dass Gott mich gesandt hat?«, antwortete ich, während ich begeistert in ihr freudiges Gesicht blickte.

»Ja, wenigstens dafür.«

»Ach, Nastenka! Wir sind ja anderen Menschen schon dafür dankbar, dass sie mit uns auf der Welt sind. Ich danke Ihnen, dass Sie mir begegnet sind, dass ich mich mein ganzes Leben an Sie erinnern werde!«

»Aber nicht doch! Genug davon. Folgendes, hören Sie mir zu: wir haben damals abgemacht, dass er mich, sobald er eintrifft, benachrichtigt, indem er an einem bestimmten Ort einen Brief für mich abgibt, bei Bekannten von mir, guten und schlichten Leuten, die nichts von alledem wissen; oder wenn es mit dem Schreiben nicht geht, weil man brieflich nicht immer alles erklären kann, würde er am Tag, an dem er eintrifft, um Punkt zehn Uhr hierherkommen, wo wir uns treffen würden. Von seiner Ankunft weiß ich; und heute ist schon der dritte Tag ohne Brief und ohne ihn. Am Vormittag kann ich auf keinen Fall von Babuschka weg. Geben Sie meinen Brief morgen früh persönlich den guten Menschen, von denen ich Ihnen erzählt habe: sie schicken ihn weiter; und wenn eine Antwort kommt, bringen Sie sie persönlich um zehn Uhr abends her.«

»Aber der Brief, der Brief! Erst muss doch der Brief geschrieben werden! Ohne ihn ist es frühestens übermorgen so weit.«

»Der Brief …«, antwortete Nastenka leicht verlegen, »der Brief … Aber …«

Aber sie sprach nicht zu Ende. Erst drehte sie ihr Gesichtchen von mir weg, errötete wie eine Rose, und plötzlich fühlte ich in meiner Hand einen Brief, offenbar schon längst geschrieben, fix und fertig und versiegelt. Eine wohlbekannte, liebe, anmutige Erinnerung schoss mir da durch den Kopf!

»R…O… Ro … S…I…si…N…A…na…«, hob ich an.

»Rosina!«, sangen wir beide heraus, ich hätte sie vor Begeisterung fast umarmt, sie errötete, wie sie nur konnte, und lachte unter Tränen, die wie winzige Perlen an ihren schwarzen Wimpern zitterten.

»Nun, genug jetzt! Leben Sie für heute wohl!«, sprudelte sie hervor. »Hier ist der Brief, da die Adresse, wohin Sie ihn bringen sollen. Leben Sie wohl! auf Wiedersehen! bis morgen!«

Sie drückte mir fest beide Hände, nickte mir zu und eilte pfeilgeschwind in ihre Gasse. Ich stand lange am selben Fleck und folgte ihr mit den Augen.

»Bis morgen! Bis morgen!«, schoss mir durch den Kopf, als sie meinen Blicken entschwand.

DIE DRITTE NACHT

Der Tag heute war trübe, regnerisch, wolkenverhangen wie mein künftiges Alter. Mich belasten sonderbare Gedanken, dunkle Empfindungen, noch unklare Probleme wirbeln mir durch den Kopf – und irgendwie fehlt es mir an Kraft und Willen, sie zu lösen. Nicht an mir ist es, all das zu lösen!

Heute treffen wir uns nicht. Als wir uns gestern verabschiedeten, ballten sich Wolken am Himmel, und Nebel stieg auf. Ich sagte, der kommende Tag würde unfreundlich werden; sie antwortete nicht, sie wollte ihr Gefühl nicht verraten; für sie würde der Tag hell und klar sein, und keine einzige Wolke würde ihr Glück trüben.

»Wenn es regnet, treffen wir uns nicht!«, sagte sie. »Dann komme ich nicht.«

Ich hätte gedacht, sie hätte den heutigen Regen gar nicht bemerkt, aber sie kam wirklich nicht.

Gestern war unsere dritte Begegnung, unsere dritte weiße Nacht ...

Wie Freude und Glück doch einen Menschen verschönern! wie Liebe doch ein Herz in Wallung bringt! Es ist, als wolltest du dein Herz zur Gänze in ein anderes ergießen, als wolltest du, dass alles fröhlich sei, dass alles lache. Und wie ansteckend diese Freude ist! Gestern lag in ihren Worten eine solche Zärtlichkeit, eine solche Güte zu mir in ihrem Herzen ... Wie sie sich um mich bemühte, mich umschmeichelte, wie sie mein Herz ermunterte und hätschelte! Ach, wie kokett das Glück doch macht! Und ich ... Ich nahm alles für bare Münze; ich dachte, dass sie ...

Du lieber Gott, wie konnte ich das nur denken? wie konnte ich nur so blind sein, da doch alles ein anderer besitzt, nichts davon mir gehört; da selbst ihre Zärtlichkeit, ihre Fürsorge, ihre Liebe – ja, ihre Liebe zu mir – letztlich nichts war als die Freude auf das baldige Wiedersehen mit dem anderen, nichts als der Wunsch, mich in ihr Glück hineinzuziehen? ... Und als er nicht kam, als wir lange vergeblich gewartet hatten, da erlosch die Freude auf ihrem Gesicht, da wurde sie verzagt und ängstlich. Ihre Gesten, ihre Worte verloren das Leichte, Spielerische und Fröhliche. Aber sonderbar, mir gegenüber verdoppelte sie ihre Aufmerksamkeit, als wollte sie instinktiv mir schenken, was sie sich selber wünschte und wovon sie fürchtete, es würde nicht eintreten. Meine Nastenka war so verzagt und verstört, dass sie anscheinend end-

lich begriff, dass ich sie liebe, und sich meiner armen Liebe erbarmte. Wenn wir unglücklich sind, spüren wir das Unglück anderer stärker; unser Gefühl verteilt sich dann nicht, es bündelt sich …

Mein Herz war voll, als ich zu ihr ging, ich konnte unser Treffen kaum erwarten. Ich ahnte nicht, was ich fühlen würde, ahnte nicht, dass alles anders kommen würde. Sie strahlte vor Freude, sie wartete auf Antwort. Die Antwort war er. Er musste sich einstellen, auf ihren Ruf hin herbeieilen. Sie war eine ganze Stunde vor mir da. Zuerst lachte sie über alles, über jedes Wort von mir. Ich wollte etwas sagen, aber dann verstummte ich.

»Wissen Sie, weshalb ich so froh bin?« sagte sie, »weshalb ich so froh bin, wenn ich Sie ansehe? warum ich Sie heute so liebe?«

»Nun?«, fragte ich, und mein Herz tat einen Sprung.

»Ich liebe Sie, weil Sie sich nicht in mich verliebt haben. Ein anderer an Ihrer Stelle wäre lästig geworden, auf die Nerven gefallen, hätte gestöhnt und gelitten, aber Sie – Sie sind so nett!«

Hier presste sie meine Hand so stark, dass ich fast aufgeschrien hätte. Sie lachte.

»Mein Gott! was für ein Freund Sie sind!«, begann sie nach kurzer Pause ernsthaft. »Ja, Gott hat Sie mir gesandt! Wie wäre es mir wohl ergangen, wenn Sie jetzt nicht bei mir wären? Sie sind so selbstlos! Sie lieben mich auf so gute Weise! Wenn ich heirate, werden wir die besten Freunde sein, uns näherstehen als Brüder. Ich werde Sie fast so lieben wie ihn …«

In dem Moment wurde ich entsetzlich traurig; gleichzeitig war mir, als spürte ich in meiner Seele die Anwandlung zu lachen.

»Sie sind in einem schlimmen Zustand«, sagte ich, »Sie fürchten sich; Sie denken, er kommt nicht.«

»Du lieber Himmel!«, antwortete sie. »Wenn ich nicht so glücklich wäre, würde ich wohl in Tränen ausbrechen über Ihr fehlendes Vertrauen, Ihre Vorwürfe. Aber halt, Sie haben mich da auf eine Idee gebracht, die mir lange zu denken geben wird; das mache ich jedoch später, jetzt gestehe ich Ihnen, dass Sie die Wahrheit sagen. Ja! irgendwie bin ich aus dem Gleichgewicht geraten; irgendwie warte ich mit Leib und Seele, und alles andere fühle ich nur oberflächlich. Jetzt aber Schluss damit, lassen wir die Gefühle …«

Da ertönten Schritte, und in der Dunkelheit tauchte jemand auf und kam uns entgegen. Wir fuhren beide zusammen; sie hätte fast aufgeschrien. Ich ließ ihren Arm los und machte eine Bewegung, als wollte ich beiseitetreten. Aber wir hatten uns getäuscht: Es war nicht er.

»Wovor haben Sie Angst? Warum haben Sie meinen Arm losgelassen?«, sagte sie und reichte ihn mir erneut. »Was ist denn dabei? wir begrüßen ihn gemeinsam. Ich möchte, dass er sieht, wie wir einander lieben.«

»Wie wir einander lieben!«, rief ich aus.

›Ach, Nastenka, Nastenka!‹, dachte ich, ›wie viel hast du mit diesem Wort gesagt! Eine solche Liebe, Nastenka, lässt manches Mal die Seele erkalten und das Herz schwer werden. Dein Arm ist kalt, meine Hand heiß wie Feuer. Wie blind du bist, Nastenka! ... Oh! wie unausstehlich ist ein glücklicher Mensch bisweilen! Aber ich kann dir nicht böse sein ...‹

Schließlich war mein Herz übervoll.

»Hören Sie, Nastenka!«, rief ich aus, »wissen Sie, was heute den ganzen Tag mit mir los war?«

»Was denn, was war denn? erzählen Sie rasch! Wieso haben Sie denn bis jetzt nichts gesagt?«

»Erstens, Nastenka, als ich Ihre Aufträge erfüllt hatte, den Brief abgegeben hatte, bei Ihren guten Leuten gewesen war, da ... da ging ich nach Hause und legte mich schlafen.«

»Und das ist alles?«, unterbrach sie mich lachend.

»Ja, fast alles«, antwortete ich widerwillig, weil mir bereits dumme Tränen in die Augen traten. »Ich wurde eine Stunde vor unserem Treffen wach, aber es war, als hätte ich gar nicht geschlafen. Ich weiß nicht, was mit mir los war. Ich ging, um Ihnen zu berichten, und es war, als stünde für mich die Zeit still, als sollte ab jetzt eine einzige Empfindung, ein einziges Gefühl in mir ewig bestehen bleiben, als sollte der Augenblick eine Ewigkeit dauern und das ganze Leben gleichsam für mich stillstehen ... Als ich aufwachte, schien mir, als wäre ein musikalisches Motiv, das ich seit langem kannte, früher gehört und dann vergessen hatte, ein Motiv von großer Süße, mir jetzt wieder in den Sinn gekommen. Mir schien, als hätte es mein ganzes Leben lang aus meiner Seele herausgewollt, und erst jetzt ...«

»Ach, du lieber Gott im Himmel!«, fiel Nastenka mir ins Wort, »was soll das alles bedeuten? Ich verstehe kein Wort.«

»Ach, Nastenka! ich wollte Ihnen doch bloß diesen komischen Eindruck beschreiben …«, begann ich mit kläglicher Stimme, in der sich nur noch eine ganz entfernte Hoffnung barg.

»Schluss damit, lassen Sie das, Schluss!«, sprach sie; hatte sie es also gleich begriffen, die Schlawinerin!

Plötzlich wurde sie überaus gesprächig, lustig, ausgelassen. Sie nahm meinen Arm, lachte, verlangte, dass auch ich lachte, und jedes meiner betretenen Worte wurde von einem solch schallenden, langanhaltenden Gelächter begleitet … Ich wollte schon böse werden, sie verlegte sich plötzlich aufs Kokettieren.

»Hören Sie«, fing sie an, »eigentlich finde ich es doch ein bisschen ärgerlich, dass Sie sich nicht in mich verliebt haben. Verstehe diesen Mann, wer will! Aber wie dem auch sei, Herr Unerschütterlich, ich verdiene unbedingt Ihr Lob dafür, dass ich so freimütig bin. Ich sage Ihnen alles, einfach alles, egal welche Dummheit mir durch den Kopf geht.«

»Hören Sie! Es ist elf Uhr, oder?«, sagte ich, als der gemessene Glockenschlag vom fernen Rathausturm herüberklang. Sie blieb abrupt stehen, hörte auf zu lachen und begann zu zählen.

»Ja, elf«, sagte sie schließlich zaghaft und unschlüssig.

Ich bereute sofort, dass ich sie erschreckt und dazu gebracht hatte, die Schläge zu zählen, und verwünschte meinen boshaften Impuls. Voller Mitgefühl mit ihr, wusste ich nicht, wie ich meinen Fehltritt wiedergutmachen sollte. Ich begann sie zu trösten, suchte Gründe für sein Ausbleiben, führte Argumente und Belege an. Wie leicht war sie zu täuschen in diesem Moment, aber in einem solchen Moment würde wohl jeder mit Freuden wenigstens irgendeine Tröstung anhören, wäre von Herzen froh, wenn es wenigstens den Schatten einer Rechtfertigung gäbe.

»Es ist ja zum Lachen«, begann ich, geriet immer mehr in Hitze und berauschte mich an der bestechenden Logik meiner Argumente, »er konnte doch noch gar nicht kommen; Sie haben mich auch schon getäuscht und auf die falsche Fährte gelockt, Nastenka, so dass ich die Zeit falsch berechnet habe ... Überlegen Sie doch: er hat den Brief vermutlich gerade erst erhalten; angenommen, er kann nicht herkommen, angenommen, er schreibt eine Antwort: vor morgen kann die nicht eintreffen. Ich gehe morgen in aller Herrgottsfrühe hin und gebe Ihnen auf der Stelle Bescheid. Und dann muss man noch mit tausend anderen Möglichkeiten rechnen: vielleicht war er gar nicht zu Hause, als der Brief kam, und hat ihn bis jetzt noch nicht gelesen? Es kann ja alles Mögliche passieren.«

»Ja, ja«, antwortete Nastenka, »das habe ich nicht bedacht; natürlich, es kann alles Mögliche passieren«, fuhr sie nachgiebig fort, doch in ihrer Stimme klang wie eine störende Dissonanz ein anderer, ferner Gedanke mit. »Machen Sie Folgendes«, fuhr sie fort, »gehen Sie morgen so früh wie möglich hin, und wenn Sie eine Nachricht erhalten, geben Sie mir auf der Stelle Bescheid. Sie wissen ja, wo ich wohne?« Und sie wiederholte ihre Adresse. Dann war sie mit einem Mal so zärtlich zu mir, so sanft ... Scheinbar aufmerksam lauschte sie dem, was ich zu ihr sagte; doch als ich eine Frage an sie

richtete, schwieg sie und wandte sich verlegen ab. Ich sah ihr in die Augen – tatsächlich: sie weinte.

»Ja, ist es denn die Möglichkeit? Ach, was sind Sie doch für ein Kind! Was für eine Kinderei …! Schluss damit!«

Sie versuchte zu lächeln, sich zu beruhigen, doch ihr Kinn zitterte, und ihre Brust hob und senkte sich.

»Ich denke über Sie nach«, sagte sie nach kurzem Schweigen, »Sie sind so gut, dass ich aus Stein sein müsste, um das nicht zu empfinden. Wissen Sie, was mir gerade in den Sinn kam? Ich habe Sie beide verglichen. Warum ist er – nicht Sie? Warum ist er nicht so wie Sie? Er ist schlechter als Sie, obwohl ich ihn mehr liebe als Sie.«

Ich antwortete nicht. Sie schien darauf zu warten, dass ich etwas sagte.

»Gut, vielleicht verstehe ich ihn noch nicht richtig, kenne ihn noch nicht richtig. Wissen Sie, es war immer so, als hätte ich Angst vor ihm; er war immer so ernst, irgendwie stolz. Natürlich weiß ich, dass er einen nur so ansieht, dass sein Herz zärtlicher ist als meins … Ich weiß ja noch, wie er mich damals ansah, erinnern Sie sich, als ich mit meinem Bündel zu ihm kam; aber trotzdem, irgendwie habe ich zu viel Respekt vor ihm, und könnte man dann nicht denken, wir wären einander nicht ebenbürtig?«

»Nein, Nastenka, nein«, antwortete ich, »das heißt, dass Sie ihn mehr als alles auf der Welt lieben und viel mehr als sich selbst.«

»Gut, nehmen wir an, das ist so«, erwiderte Nastenka naiv, »aber wissen Sie, was mir gerade durch den Kopf ging? Jetzt rede ich allerdings nicht von ihm, sondern im Allgemeinen; diese Dinge gehen mir schon seit langem durch den Kopf. Hören Sie, warum sind wir nicht alle wie die Brüder miteinander? Warum lässt auch der beste Mensch im Gespräch mit dem anderen etwas weg, schweigt ihm etwas vor? Warum kann man nicht sofort sein Herz ausschütten, rundheraus, wenn man doch weiß, dass man auf offene Ohren stößt? Stattdessen guckt jeder streng, strenger, als ihm wirklich zumute ist, und tut so, als würden seine Gefühle verletzt, wenn er sie zu schnell zeigt …«

»Ach, Nastenka! Sie haben ja recht; aber dafür gibt es doch vielerlei Gründe«, unterbrach ich sie, der in diesem Moment mehr denn je seine Gefühle unterdrückte.

»Nein, nein!«, antwortete sie mit tiefer Empfindung. »Sie zum Beispiel sind nicht wie die anderen! Ich weiß wahrhaftig nicht, wie ich Ihnen erklären soll, was ich empfinde; aber mir scheint, Sie zum Beispiel … wenigstens jetzt … mir scheint, Sie bringen ein Opfer für mich«, fügte sie mit einem kurzen Blick auf mich zaghaft hinzu. »Verzeihen Sie, dass ich Ihnen so etwas sage; ich bin ja ein einfaches Mädchen; ich habe ja erst wenig von der Welt gesehen und kann mich manchmal wahrhaftig nicht gut ausdrücken«, fügte sie hinzu und versuchte zu lächeln, während ein verborgenes Gefühl ihre Stimme zittern ließ, »ich wollte nur sagen, dass ich Ihnen dankbar bin und dass ich das alles ebenfalls fühle … Oh, möge Gott Ihnen dafür Glück schenken! Und was Sie mir neulich alles über Ihren Träumer erzählt haben, ist absolut falsch, das heißt, ich will sagen, das betrifft Sie überhaupt nicht. Sie werden wieder gesund, Sie sind in Wahrheit ein ganz anderer Mensch als der, den Sie beschrieben haben. Wenn Sie einmal eine Frau liebgewinnen, gebe Gott Ihnen Glück mit ihr! Ihr wünsche ich nichts, denn sie wird mit Ihnen glücklich sein. Das weiß ich, ich bin selber eine Frau, und wenn ich Ihnen das sage, müssen Sie es mir glauben …«

Sie verstummte und drückte mir fest die Hand. Ich konnte ebenfalls vor innerer Bewegung nichts sagen. Einige Minuten vergingen.

»Ja, offenbar kommt er heute nicht!«, sagte sie schließlich und hob den Kopf. »Es ist schon spät …!«

»Er kommt morgen«, sagte ich so eindringlich und fest, wie ich nur konnte.

»Ja«, fügte sie etwas heiterer hinzu, »ich sehe jetzt selbst, dass er erst morgen kommt. Nun, dann also auf Wiedersehen! bis morgen! Wenn es regnet, komme ich vielleicht nicht. Aber übermorgen komme ich, auf jeden Fall, koste es, was es wolle; seien Sie auf jeden Fall hier; ich möchte Sie sehen, ich erzähle Ihnen alles.«

Und dann, als wir uns verabschiedeten, gab sie mir die Hand, sah mich mit klarem Blick an und sagte:

»Wir gehören doch jetzt für immer zusammen, nicht wahr?«

Oh, Nastenka, Nastenka! Wenn du wüsstest, wie einsam ich mich gerade fühle!

Als es neun Uhr schlug, hielt es mich nicht mehr im Zimmer, ich zog mich an und ging aus, trotz des scheußlichen Wetters. Ich war dort, saß auf unserer Bank. Ich ging in ihre

Gasse, aber dann genierte ich mich und kehrte, ohne einen Blick auf ihre Fenster zu werfen, zwei Schritt vor dem Haus wieder um. Als ich heimkam, war ich so niedergedrückt wie noch nie. Was für ein nasses, ödes Wetter! Wäre es schön gewesen, wäre ich die ganze Nacht herumgelaufen ...

Aber – bis morgen, bis morgen! Morgen erzählt sie mir alles.

Ein Brief war heute allerdings nicht da. Aber das war ja auch zu erwarten. Sie sind jetzt sicher schon zusammen ...

DIE VIERTE NACHT

Mein Gott, und wie dann alles zu Ende ging! Was für ein Ende!

Ich kam um neun Uhr dort an. Sie war schon da. Ich bemerkte sie von weitem; sie stützte sich wie damals, beim ersten Mal, auf das Geländer am Uferweg und hörte nicht, wie ich näher kam.

»Nastenka!«, rief ich, mit Mühe meine Erregung bezähmend.

Sie wandte sich rasch zu mir um.

»Und?«, stieß sie hervor, »und? Wo ist er?«

Ich sah sie verständnislos an.

»Wo ist der Brief? Sie haben doch einen Brief?«, wiederholte sie und klammerte sich ans Geländer.

»Nein, ich habe keinen Brief«, sagte ich schließlich, »war er etwa noch nicht bei Ihnen?«

Sie wurde entsetzlich blass und sah mich lange starr an. Ich hatte ihre letzte Hoffnung zerstört.

»Ja, dann kann er mir egal sein«, brachte sie zuletzt mit brüchiger Stimme hervor. »Dann kann er mir egal sein – wenn er mich so behandelt.«

Sie schlug die Augen nieder, dann wollte sie mich ansehen, konnte es aber nicht. Noch ein paar Augenblicke kämpfte sie gegen ihre Erregung an, doch plötzlich wandte sie sich ab, stützte sich auf die Balustrade und zerfloss in Tränen.

»Nicht doch, nicht doch!«, fing ich an, aber bei ihrem Anblick hatte ich nicht die Kraft weiterzureden, und was sollte ich ihr auch sagen?

»Versuchen Sie nicht, mich zu trösten«, sagte sie weinend, »reden Sie nicht von ihm, reden Sie mir nicht ein, dass er noch kommt, dass er mich nicht auf grausame, unmenschliche Weise verlassen hat – denn das hat er. Womit habe ich das verdient? War es mein Brief, etwas in diesem unseligen Brief …?«

Schluchzend brach sie ab; ihr Anblick zerriss mir das Herz.

»Ach, wie unmenschlich, wie grausam!«, begann sie von neuem. »Und keine Zeile, keine Zeile! Wenn er wenigstens geantwortet hätte, dass er mich nicht will, dass er mich zurückweist; aber keine einzige Zeile in drei Tagen! Wie leicht es ihm fällt, ein armes, schutzloses Mädchen zu kränken, zu verletzen, deren Schuld nur darin besteht, dass sie ihn liebt! Oh, was musste ich in diesen drei Tagen ertragen! Mein Gott!

Mein Gott! Wenn ich daran denke, dass ich damals selber zu ihm gegangen bin, dass ich vor ihm geweint habe, mich gedemütigt habe, dass ich ihm ein kleines Tröpfchen Liebe abgebettelt habe …! Und nach alledem …! Hören Sie«, sie wandte sich mir zu, und ihre schwarzen Augen funkelten, »es stimmt einfach nicht! Es kann nicht sein; es ist gegen die Natur! Entweder Sie haben sich getäuscht oder ich; vielleicht hat er den Brief nicht bekommen? Vielleicht weiß er noch gar nichts? Wie ist das möglich, urteilen Sie selbst, sagen Sie es mir, um Gottes willen, erklären Sie es mir – ich kann es nicht verstehen –, wie ist es möglich, so barbarisch grob zu handeln, wie er mir gegenüber gehandelt hat? Kein einziges Wort! Der letzte Mensch auf der Welt bekommt mehr Mitgefühl. Vielleicht hat er etwas gehört, vielleicht hat mich jemand bei ihm angeschwärzt?«, rief sie aus und sah mich fragend an. »Was meinen Sie, kann das sein?«

»Hören Sie, Nastenka, ich gehe morgen in Ihrem Namen zu ihm.«

»Und?«

»Ich frage ihn nach allem, erzähle ihm alles.«

»Und? Und?«

»Sie schreiben ihm. Sagen Sie nicht nein, Nastenka, sagen Sie nicht nein! Ich zwinge ihn dazu, Ihr Verhalten zu respektieren, er erfährt alles, und wenn …«

»Nein, mein Freund, nein«, unterbrach sie mich. »Genug! Kein Wort, kein einziges Wort mehr von mir, keine Zeile – genug! Ich kenne ihn nicht mehr, ich liebe ihn nicht mehr, ich werde ihn ver…ge…ssen …«

Sie konnte nicht weitersprechen.

»Beruhigen Sie sich doch! Setzen Sie sich, Nastenka«, sagte ich und geleitete sie zur Bank.

»Ich bin ja ruhig. Schluss damit! Es ist nichts. Das sind nur Tränen, die trocknen wieder. Was haben Sie denn gedacht – dass ich mich zugrunde richte, dass ich ins Wasser gehe ...?«

Mein Herz war voll, ich wollte sprechen, konnte aber nicht.

»Hören Sie!«, fuhr sie fort und nahm meine Hand, »sagen Sie mir: Sie hätten doch nicht so gehandelt, nicht wahr? Sie hätten eine Frau, die von sich aus zu Ihnen kam, nicht fallengelassen, hätten mit ihrem schwachen, dummen Herzen keinen Spott getrieben, nicht wahr? Sie hätten sie geschont ... Sie hätten verstanden, dass sie allein war, dass sie nicht auf sich aufpassen konnte, dass sie sich vor der Liebe zu Ihnen nicht schützen konnte, dass sie nicht schuld war, dass sie doch letztlich nicht schuld war ... dass sie nichts getan hat! ... Oh mein Gott, mein Gott ...!«

»Nastenka!«, rief ich da, außerstande, meine Erregung zu bezwingen, »Nastenka! Sie quälen mich! Sie treffen mich ins Herz, Sie bringen mich um, Nastenka! Ich kann nicht länger schweigen! Ich muss endlich sprechen, muss aussprechen, was mir auf der Seele brennt ...«

Mit diesen Worten stand ich auf. Sie nahm meine Hand und sah mich erstaunt an.

»Was haben Sie?«, fragte sie schließlich.

»Hören Sie!«, sagte ich entschlossen. »Hören Sie mich an, Nastenka! Was ich jetzt sagen werde, ist unsinnig, zwecklos, töricht! Ich weiß, dass nie etwas daraus wird, aber ich kann einfach nicht mehr schweigen! Im Namen dessen, worunter Sie leiden, flehe ich Sie jetzt schon an: verzeihen Sie mir …!«

»Was ist los mit Ihnen?«, fragte sie, sie weinte nicht mehr und sah mich unverwandt an, während in ihren erstaunten Augen eine seltsame Neugier aufblitzte, »was haben Sie denn?«

»Es ist zwecklos, aber ich liebe Sie, Nastenka! jawohl! Nun ist alles gesagt!«, ich winkte ab. »Jetzt müssen Sie sehen, ob Sie so mit mir sprechen können, wie Sie es gerade getan haben, ob Sie sich wirklich anhören können, was ich Ihnen sagen werde …«

»Aber was heißt das?«, unterbrach mich Nastenka, »was heißt das denn? Ich weiß ja schon lange, dass Sie mich lieben, aber ich habe immer geglaubt, Sie lieben mich einfach so, irgendwie … Ach du lieber Gott!«

»Zuerst war es ja auch einfach so, Nastenka, aber jetzt … Jetzt bin ich in derselben Lage wie Sie, als Sie damals mit Ihrem Bündel zu ihm gingen. In einer schlimmeren, Nastenka, denn er hat damals niemanden geliebt, aber Sie – Sie lieben.«

»Was sagen Sie denn da! Jetzt verstehe ich Sie überhaupt nicht mehr. Hören Sie, wozu haben Sie, nein, nicht wozu, warum haben Sie denn jetzt … und aus heiterem Himmel … Mein Gott! ich rede Unsinn! Aber Sie …«

Und Nastenka geriet völlig in Verwirrung. Ihre Wangen glühten; sie schlug die Augen nieder.

»Was soll ich tun, Nastenka, was soll ich denn tun? ich bin schuld, ich habe Ihr Vertrauen missbraucht … Aber nein, ich bin nicht schuld, Nastenka; das spüre ich, das fühle ich, weil mein Herz mir sagt, dass ich recht habe, weil ich Sie nie kränken oder verletzen könnte! Ich war Ihr Freund; nun, ich bin auch jetzt Ihr Freund; ich habe Sie in keiner Weise getäuscht. Jetzt bin ich es, der Tränen vergießt, Nastenka. Sollen sie fließen, sollen sie nur – sie stören niemanden. Sie trocknen wieder, Nastenka …«

»Setzen Sie sich, setzen Sie sich doch«, sagte sie und zog mich auf die Bank, »ach Gott!«

»Nein! ich setze mich nicht, Nastenka; ich kann nicht mehr hierbleiben, Sie können mich nicht mehr dulden; ich sage alles, und dann gehe ich. Ich wollte nur sagen, dass Sie nie erfahren hätten, dass ich Sie liebe. Ich hätte mein Geheimnis bewahrt. Ich hätte Sie in dieser Situation nicht mit meinem Egoismus gequält. Nein! Doch ich konnte es einfach nicht mehr aushalten; Sie haben selber davon angefangen, Sie sind schuld, an allem sind Sie schuld, nicht ich. Sie dürfen mich nicht fortschicken …«

»Aber nein, ich schicke Sie nicht weg, nein, nein!«, sagte Nastenka und versuchte, so gut es ging, ihre Betroffenheit zu verbergen, die Ärmste.

»Sie schicken mich nicht weg? Nein! Aber ich wollte ja selber von Ihnen fort. Ich gehe auch, aber zuerst will ich alles sagen, denn als Sie vorhin gesprochen haben, da konnte ich nicht ruhig bleiben, denn als Sie vorhin weinten, als Sie sich quälten, weil, nun, weil (ich spreche es also aus, Nastenka) Sie abgewiesen wurden, weil Ihre Liebe zurückgestoßen wurde, da fühlte ich, da spürte ich, dass in meinem Herzen so viel Liebe für Sie ist, Nastenka, so viel Liebe …! Und es war so bitter für mich, dass ich Ihnen mit dieser Liebe nicht helfen kann … dass es mir das Herz zerriss, und da, ja, da konnte ich nicht mehr schweigen, ich musste sprechen, Nastenka, ich musste einfach sprechen …!«

»Ja, ja! sprechen Sie, sagen Sie mir alle diese Dinge!«, sagte Nastenka mit unerklärlicher Bewegung. »Sie finden es vielleicht seltsam, dass ich das sage, aber … sprechen Sie! ich erkläre es später! ich werde Ihnen alles erklären!«

»Sie haben Mitleid mit mir, Nastenka; Sie haben einfach Mitleid mit mir, meine liebe Kleine! Tja, was verloren ist, ist verloren! was gesagt wurde, holt man nicht zurück! Nicht wahr? Tja, nun wissen Sie es. Das ist der Angelpunkt. Nun gut! jetzt ist alles in bester Ordnung; aber hören Sie. Als Sie hier gesessen und geweint haben, dachte ich bei mir (ach, lassen Sie mich sagen, was ich gedacht habe!), ich dachte, dass (wir wissen, dass das nicht sein kann, Nastenka), ich dachte, dass Sie … Ich dachte, dass Sie irgendwie … nun, dass Sie ihn aus irgendwelchen ganz anderen Gründen nicht mehr lieben. Und dann – das dachte ich schon gestern und am dritten Tag, Nastenka –, dann würde ich es schaffen, würde es auf jeden Fall schaffen, dass Sie mich liebgewinnen: Sie haben ja gesagt, Nastenka, Sie haben selbst gesagt, dass Sie mich schon fast richtig liebgewonnen hätten. Tja, was weiter? Nun, das war fast alles, was ich Ihnen sagen wollte; es bleibt nur noch zu sagen, was wäre, wenn Sie mich liebgewinnen würden, nur das noch, weiter nichts! Hören Sie, meine Freundin – denn Sie sind ja trotz allem meine Freundin –, natürlich bin ich ein einfacher Mensch, arm, unbedeutend, aber darum geht es nicht (ich rede die ganze Zeit am Wichtigen vorbei, weil ich so durcheinander bin, Nastenka), es ist bloß so, dass ich Sie so sehr lieben würde, so sehr, dass Sie, wenn Sie ihn weiter lieben würden, wenn Sie fortfahren würden, den zu lieben, den ich nicht kenne, meine Liebe in keiner Weise als Last empfinden würden. Sie würden nur jeden Moment spüren, jeden Moment fühlen, dass neben Ihnen ein dankbares, sehr dankbares Herz schlägt, ein heißes Herz, das für Sie da ist … Ach, Nastenka, Nastenka! was haben Sie mit mir gemacht …!«

»Weinen Sie nicht, ich will nicht, dass Sie weinen«, sagte Nastenka und stand hastig auf, »lassen Sie uns gehen, kommen Sie, wir wollen gehen, weinen Sie nicht, nicht weinen«, sagte sie und wischte meine Tränen mit ihrem Tuch ab, »gehen wir; ich habe Ihnen vielleicht etwas zu sagen … Ja, wo er mich jetzt verlassen hat, wo er mich vergessen hat, obwohl ich ihn noch liebe (ich will Sie nicht belügen) … Aber hören Sie, antworten Sie mir. Wenn ich Sie zum Beispiel liebgewinnen würde, das heißt, wenn ich bloß … Ach, mein Freund, mein Freund! wenn ich daran denke, wenn ich nur daran denke, dass ich Sie gekränkt habe, dass ich über Ihre Liebe gelacht habe, als ich Sie dafür lobte, dass Sie sich nicht in mich verliebt haben …! Mein Gott! wieso habe ich das nicht geahnt, ich habe es nicht geahnt, wie konnte ich nur so dumm sein, und andererseits … Also dann, ich habe mich entschieden, ich sage Ihnen alles …«

»Hören Sie, Nastenka, wissen Sie, was ich tue? ich gehe fort, jawohl! Ich quäle Sie doch nur. Jetzt haben Sie Gewissens-

bisse, weil Sie sich über mich lustig gemacht haben, und das
will ich nicht, nein, ich will nicht, dass Sie neben Ihrem Kummer … Sicher, ich bin schuld, Nastenka, aber nun leben Sie
wohl!«

»Bleiben Sie, hören Sie mir zu: können Sie warten?«

»Warten? Worauf?«

»Ich liebe ihn; doch das vergeht, das muss vergehen, es
kann nicht anders sein; es vergeht schon jetzt, das spüre ich …
Wer weiß, vielleicht vergeht es heute schon, weil ich ihn hasse, weil er über mich gelacht hat, während Sie hier zusammen mit mir geweint haben, weil Sie mich nicht abgewiesen
hätten wie er, weil Sie mich lieben und er mich nie geliebt
hat, und schließlich, weil ich Sie liebe … Ja, ich liebe Sie auch!
so, wie Sie mich lieben; ich habe es Ihnen ja schon einmal gesagt, Sie haben es selbst gehört – ich liebe Sie, weil Sie besser
sind als er, weil Sie edler sind als er, weil er, weil er …«

Die Ärmste war so aufgewühlt, dass sie nicht zu Ende
sprach, ihren Kopf auf meine Schulter, dann an meine Brust
legte und bitterlich weinte. Ich tröstete sie, sprach auf sie ein,
doch sie konnte nicht aufhören; sie drückte immer wieder
meine Hand und sagte unter Schluchzen: »Warten Sie, warten Sie; ich höre gleich auf! Was ich Ihnen sagen will … denken Sie nicht, dass diese Tränen – das ist nichts, bloß Schwäche, warten Sie, es ist gleich vorbei …« Endlich hörte sie auf,
wischte sich die Tränen ab, und wir gingen weiter. Ich wollte
etwas sagen, aber sie bat mich mehrere Male, noch etwas zu
warten. Wir schwiegen … Schließlich nahm sie all ihren Mut
zusammen und begann zu sprechen …

»Also«, begann sie mit schwacher und zittriger Stimme, in der aber plötzlich etwas mittönte, was mir direkt ins Herz drang und dort ein süßes Weh hervorrief, »denken Sie nicht, ich wäre unbeständig und wetterwendisch, denken Sie nicht, ich könnte leicht und schnell vergessen und die Treue brechen ... Ich habe ihn ein ganzes Jahr lang geliebt, und ich schwöre bei Gott, dass ich ihm niemals, niemals auch nur mit einem Gedanken untreu war. Er hat das verschmäht; er hat über mich gelacht – egal! Aber er hat mich verletzt und mein Herz beschimpft. Ich – ich liebe ihn nicht, weil ich nur jemanden lieben kann, der großmütig ist, der mich versteht, der nobel ist; weil ich selber so bin und weil er meiner nicht würdig ist – ach, er soll mir egal sein! Besser so, als wenn ich später in meinen Erwartungen enttäuscht worden wäre und erst dann gemerkt hätte, was er für einer ist ... Na, es ist aus! Doch wer weiß, mein lieber Freund«, fuhr sie fort und drückte meine Hand, »wer weiß, vielleicht war ja meine ganze Liebe eine Täuschung des Gefühls, der Fantasie, vielleicht begann sie nur deshalb, als Schabernack, als Spielerei, weil ich unter Babuschkas Aufsicht stand? Vielleicht hätte ich einen anderen lieben sollen, nicht ihn, nicht einen solchen Menschen, einen anderen, der Mitgefühl für mich empfunden hätte und, und ... Ach, lassen wir das, lassen wir das«, unterbrach Nastenka sich und rang vor Aufregung nach Luft, »ich wollte Ihnen nur sagen ... Was ich Ihnen sagen wollte: wenn Sie, obwohl ich ihn liebe (nein, geliebt habe), wenn Sie trotzdem weiter sagen können ... Wenn Sie spüren, dass Ihre Liebe so groß ist, dass sie letztendlich die frühere aus meinem Herzen verdrängen kann ... Wenn Sie sich meiner erbarmen wollen, wenn Sie mich nicht allein, ohne Trost, ohne Hoffnung meinem Schicksal überlassen wollen, wenn Sie mich immer so lieben wollen, wie Sie mich jetzt lieben, dann schwöre ich, dass meine Dankbarkeit ... dass meine Liebe letztendlich der Ihren würdig sein wird ... Nehmen Sie nun meine Hand?«

»Nastenka!«, rief ich, schluchzend und nach Luft ringend, »Nastenka! ... Oh, Nastenka!«

»Genug jetzt, genug! jetzt soll es wirklich genug sein!«, sagte sie, sich mit Mühe beherrschend, »nun ist doch alles gesagt, nicht wahr? ja? Na also, Sie sind glücklich, ich bin glücklich; kein Wort mehr davon; warten Sie; schonen Sie mich ... Sprechen Sie von etwas anderem, um Gottes willen ...!«

»Ja, Nastenka, ja! genug davon, jetzt bin ich glücklich, ich ... Gut, Nastenka, gut, sprechen wir von etwas anderem, sofort, jetzt gleich; ja! ich bin bereit ...«

Und wir wussten nicht, was wir sagen sollten, wir lachten, wir weinten, wir sagten tausend Wörter ohne Sinn und Zusammenhang; mal gingen wir auf dem Trottoir auf und ab, mal kehrten wir plötzlich um und wollten über die Straße, dann hielten wir inne und gingen doch wieder hinüber zum Uferweg; wir waren wie die Kinder ...

»Noch lebe ich allein, Nastenka«, begann ich, »aber morgen ... Tja, wissen Sie, Nastenka, natürlich bin ich arm, ich habe nur tausendzweihundert im Jahr, aber das macht nichts ...«

»Natürlich nicht, und Babuschka hat ja ihre Rente; sie ist also keine Belastung für uns. Babuschka müssen wir zu uns nehmen.«

»Aber sicher, Babuschka müssen wir zu uns nehmen ... Bloß Matrjona ...«

»Ach, und wir haben ja auch noch Fjokla!«

»Matrjona ist gutherzig, sie hat nur eine Schwäche: keine Fantasie, Nastenka, nicht die geringste Fantasie; aber das macht nichts ...«

»Wie auch immer, sie kommen schon miteinander aus; bloß ziehen Sie doch gleich morgen zu uns.«

»Wie? zu Ihnen! Gut, ich bin bereit ...«

»Ja, Sie mieten sich bei uns ein. Unser Haus hat einen Oberstock; er steht leer; wir hatten eine Mieterin, eine alte Frau von Stand; sie ist ausgezogen, und Babuschka, das weiß ich, möchte einen jungen Mann aufnehmen; ich sage: ›Wieso denn einen jungen Mann?‹ Und sie: ›Nur so, ich bin schon alt, aber glaub bloß nicht, Nastenka, dass ich dich mit ihm verkuppeln will.‹ Dabei hatte ich mir schon gedacht, dass das der Grund ist ...«

»Ach, Nastenka ...!«

Und wir lachten beide.

»Nun Schluss damit, Schluss. Wie war das, wo wohnen Sie noch einmal? ich habe es vergessen.«

»Dort hinten, in der Nähe der Brücke, im Haus von Barannikow.«

»Das ist so ein großes Haus, ja?«

»Genau.«

»Ach ja, das kenne ich, ein ordentliches Haus; aber, wissen Sie, ziehen Sie trotzdem möglichst schnell dort aus und kommen Sie zu uns …«

»Gleich morgen, Nastenka, gleich morgen; ich bin noch etwas Miete schuldig, aber das macht nichts … Ich bekomme bald mein Gehalt …«

»Wissen Sie, ich kann vielleicht Stunden geben; erst lerne ich selbst etwas, dann gebe ich Stunden …«

»Na, das ist doch großartig … Und ich bekomme bald eine Prämie, Nastenka …«

»So werden Sie also morgen mein Mieter …«

»Ja, und wir gehen in den Barbier von Sevilla, der wird jetzt bald wieder gegeben.«

»Ja, das machen wir«, sagte Nastenka mit einem Lachen, »oder nein, lieber hören wir uns etwas anderes an, nicht den Barbier …«

»Na gut, etwas anderes; natürlich, das ist besser, ich habe nicht nachgedacht …«

Während wir so redeten, liefen wir beide wie im Rausch, wie im Taumel umher, als wüssten wir nicht, wie uns geschah. Mal standen wir lange am selben Fleck und sprachen miteinander, mal gingen wir wieder los und kamen Gott weiß wohin, und wieder Gelächter, und wieder Tränen … Mal wollte Nastenka plötzlich nach Hause, ich wagte nicht, sie zurückzuhalten, und wollte sie bis vor die Haustür begleiten; wir machten uns auf den Weg, und eine Viertelstunde später fanden wir uns plötzlich auf dem Uferweg bei unserer Bank wieder. Mal seufzte sie, und in ihrem Auge erglänzte von neuem eine Träne; ich verzagte, erstarrte … Doch sie drückte gleich wieder meinen Arm und bewegte mich dazu, von neuem zu laufen, zu plaudern, zu reden …

»Jetzt wird es Zeit, ich muss nach Hause; ich glaube, es ist sehr spät«, sagte Nastenka schließlich, »wir haben uns lange genug wie die Kinder benommen!«

»Ja, Nastenka, aber schlafen kann ich jetzt nicht; ich gehe nicht nach Hause.«

»Ich kann wohl auch nicht schlafen; aber Sie begleiten mich doch?«

»Auf jeden Fall!«

»Jetzt gehen wir aber auf jeden Fall bis zur Haustür.«

»Aber ja, auf jeden Fall …«

»Ehrenwort …? denn irgendwann muss man ja schließlich nach Hause!«

»Ehrenwort«, antwortete ich mit einem Lachen …

»Gut, dann gehen wir.«

»Gehen wir.«

»Da, Nastenka, der Himmel, schauen Sie doch! Das wird morgen ein wundervoller Tag; was für ein blauer Himmel, was für ein Mond! Sehen Sie: die gelbe Wolke da verdeckt ihn gleich, sehen Sie, sehen Sie …! Nein, sie ist vorbeigezogen. Schauen Sie nur, schauen Sie …!«

Doch Nastenka sah nicht zur Wolke hoch, sie stand stumm da, wie angenagelt; im nächsten Moment schmiegte sie sich ängstlich dicht an mich. Ihre Hand zitterte in meiner; ich sah sie an … Sie stützte sich noch stärker auf mich.

In dem Moment kam uns ein junger Mann entgegen. Er

blieb plötzlich stehen, sah uns durchdringend an und ging dann einige Schritte weiter. Mein Herz erbebte …

»Nastenka«, sagte ich halblaut, »wer ist das, Nastenka?«

»Er!«, flüsterte sie und schmiegte sich noch enger, noch bänglicher an mich … Ich hielt mich kaum noch auf den Beinen.

»Nastenka! Nastenka! du bist's!«, ertönte eine Stimme hinter uns, und im selben Moment tat der junge Mann ein paar Schritte auf uns zu.

Mein Gott, was für ein Schrei! wie sie zusammenfuhr! wie sie sich aus meinen Armen riss und ihm entgegenflog! … Ich stand da wie erschlagen und sah die beiden an. Doch kaum hatte sie ihm die Hand gereicht, sich in seine Arme gestürzt, als sie sich jäh nach mir umdrehte, wie der Wind, wie der Blitz wieder neben mir war und, eh ich mich's versah, mit beiden Armen meinen Hals umschlang und mich fest und heiß küsste. Dann stürzte sie ohne ein Wort wieder zu ihm, fasste seine Hände und zog ihn mit sich fort.

Lange stand ich da und sah ihnen nach … Schließlich waren sie meinen Blicken entschwunden.

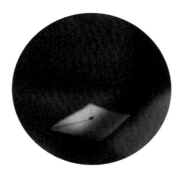

DER MORGEN

Meine Nächte endeten mit einem Morgen. Es war ein unfreundlicher Tag. Regen trommelte trostlos an mein Fenster; das Zimmer war dunkel, der Himmel verhangen. Mein Kopf schmerzte, mir war schwindlig; ich fühlte Fieberschauer in allen Gliedern.

»Ein Brief für dich, mein Guter, mit der städtischen Post, der Postbote hat ihn gebracht«, erklang Matrjonas Stimme über mir.

»Ein Brief! von wem?«, rief ich und sprang von meinem Stuhl auf.

»Das weiß ich nicht, mein Guter, guck nach, vielleicht steht da, von wem.«

Ich erbrach das Siegel. Von ihr!

»Oh, verzeihen Sie mir, verzeihen Sie mir!«, schrieb Nastenka, »auf den Knien flehe ich Sie an, verzeihen Sie mir! Ich habe Sie und mich getäuscht. Es war ein Traum, ein Trugbild … Wie sehr zog es mich heute zu Ihnen; verzeihen Sie mir, verzeihen Sie mir …! Klagen Sie mich nicht an, denn ich habe mich, was Sie betrifft, nicht im Mindesten geändert; ich habe gesagt, ich würde Sie lieben, und ich liebe Sie auch jetzt, ja mehr als das. Ach, mein Gott! könnte ich doch nur Sie beide zugleich lieben! Ach, wären Sie doch er!«

›Ach, wäre er doch Sie!‹, schoss mir durch den Kopf. Ich habe mir deine Worte gemerkt, Nastenka!

»Gott ist mein Zeuge: was würde ich jetzt gerne alles für Sie tun! Ich weiß, dass Ihnen schwer ums Herz ist, dass Sie traurig sind. Ich habe Sie verletzt, doch Sie wissen ja – wer liebt, trägt eine Kränkung nicht lange nach. Und Sie lieben mich! Ich danke Ihnen! ja! ich danke Ihnen für diese Liebe. Denn sie haftet in meiner Erinnerung wie ein süßer Traum, den man nach dem Erwachen noch lange im Sinn hat; denn ich werde ewig an den Augenblick denken, als Sie mir so brüderlich Ihr Herz öffneten und so großmütig das meine, tief verletzte entgegennahmen, um es zu schützen, zu pflegen und zu heilen … Wenn Sie mir verzeihen, wird sich meine Erinnerung an Sie zu ewiger Dankbarkeit steigern, die in meiner Seele nie verblassen wird … Ich werde diese Erinnerung bewahren, ihr treu sein, sie nicht verraten, mein Herz nicht verraten: es ist zu beständig. Es ist ja gestern erst so schnell zu dem zurückgekehrt, dem es auf immer gehört.

Wir werden uns wiedersehen, Sie kommen uns besuchen,

Sie lassen uns nicht warten, Sie werden ewig mein Freund, mein Bruder sein …! Und wenn Sie vor mir stehen, dann reichen Sie mir die Hand … ja? Sie reichen mir die Hand, Sie haben mir verziehen, nicht wahr? Sie lieben mich wie zuvor?

Oh, lieben Sie mich, verlassen Sie mich nicht, denn ich werde Ihrer Liebe würdig sein und sie verdienen … mein guter Freund! Nächste Woche heirate ich ihn. Er kam voller Liebe zurück, er hat mich nie vergessen … Seien Sie nicht böse, dass ich über ihn schreibe. Ich möchte ja zusammen mit ihm zu Ihnen kommen; Sie werden ihn liebgewinnen, nicht wahr …?

Verzeihen Sie mir, denken Sie an mich und lieben Sie
Ihre Nastenka«

Ich las den Brief wieder und wieder, kämpfte mit den Tränen. Schließlich ließ ich ihn fallen und vergrub mein Gesicht in den Händen.

»Herzchen! hör doch!«, begann Matrjona.

»Was ist, Alterchen?«

»Die Spinnweben habe ich alle von der Decke abgenommen; jetzt kannst du Hochzeit feiern, Gäste einladen, und zwar stehenden Fußes …«

Ich blickte Matrjona an … Sie war noch wacker, eine junge Alte, aber plötzlich, ich weiß nicht warum, sah ich sie mit erloschenem Blick, verrunzeltem Gesicht, gekrümmt und hinfällig … Ich weiß nicht warum, aber plötzlich schien mir mein Zimmer genauso gealtert wie die Frau. Wände und Böden hatten ihre Farbe verloren, alles war nachgedunkelt; die Spinnwebkultur noch größer geworden. Ich weiß nicht warum, aber als ich aus dem Fenster blickte, schien mir das Haus gegenüber ebenfalls hinfällig und altersdunkel, der Stuck an den Säulen war abgeblättert und abgefallen, die Simse eingeschwärzt und gesprungen, die Mauern, einst in leuchtendem Sattgelb, voller Flecken ... Entweder ist der Sonnenstrahl, der jäh hervorlugte, erneut hinter einer Regenwolke verschwunden und alles hat sich von neuem vor meinen Augen verdunkelt; oder es war womöglich meine Zukunft, die so unschön und traurig vor mir erstand, und ich sah mich, wie ich jetzt bin, genau fünfzehn Jahre später, gealtert, im selben Zimmer, genauso einsam, mit derselben Matrjona, die in all den Jahren kein bisschen klüger geworden ist.

Dennoch, dir die Kränkung nachtragen, Nastenka! Dein helles, friedvolles Glück mit einer düsteren Wolke trüben; dir bittere Vorwürfe machen, so dass dein Herz sich grämt, an heimlicher Gewissensqual leidet und in Stunden der Seligkeit beklommen pocht; auch nur eine der zarten Blüten knicken, die du in deine schwarzen Locken windest, wenn du mit ihm vor den Altar trittst ... Nein, das könnte ich nicht, niemals! Möge dein Himmel klar sein, möge dein liebes Lächeln heiter und friedvoll sein, mögest du gesegnet sein für die Stunde der Seligkeit und des Glücks, die du einem anderen, einem einsamen, dankbaren Herzen geschenkt hast!

Mein Gott! Eine volle Stunde Seligkeit! Selbst für ein ganzes Menschenleben – ist das etwa wenig?

»ACH, WÄREN SIE DOCH ER!«

Zur Modernität von Dostojewskis Novelle »Weiße Nächte«

Woran denken wir beim Namen Dostojewski? An Verbrechen und Strafe oder Schuld und Sühne, an die tragischen Brüder Karamasow, an einen Grünen Jungen, einen Idioten und natürlich an Dämonen oder Böse Geister. Die großen Romane, neu übersetzt (und meistens mit neuen Titeln versehen) von Swetlana Geier, beherrschen unsere Sicht auf den bedeutenden russischen Autor des 19. Jahrhunderts. Weit weniger bekannt ist seine publizistische Tätigkeit, zum Beispiel die Essays, Reportagen und Polemiken, die er unter dem Titel *Tagebuch eines Schriftstellers* ab 1873 verfasst hat. Dabei sind hauptsächlich diese Texte dafür verantwortlich, dass Dostojewski seit Russlands Vollinvasion der Ukraine immer wieder als Kronzeuge für die tiefsitzende nationalistische, imperialistische Haltung der russischen Intelligenzija genannt wird. Tatsächlich hat der Autor vor allem im *Tagebuch* seine Variante der »russischen Idee« dargelegt, die Lehre von der Auserwähltheit des russischen Volkes, von seiner (moralisch-religiösen) Überlegenheit gegenüber dem zutiefst minderwertigen »Westen«, er hat sich massiv antisemitisch ausgelassen, er hat sich, etwa im Balkankrieg 1876/77, als ausgesprochener Kriegstreiber gezeigt. Unangenehme Wahrheiten.

Soll man seine Texte deshalb ignorieren? Natürlich nicht. Fjodor Dostojewski hat großartige Romane und Novellen verfasst, hat sowohl mit seinen Themen als auch mit seiner Schreibweise literarisches Neuland betreten und ein beeindruckendes Werk geschaffen. Auf diesen Reichtum sollte man nicht verzichten. Ausklammern sollte man seine aggressiven Ausfälle gegen Polen, Juden, Türken oder Franzosen, seine Huldigung des absolutistischen Zarentums und seinen religiös motivierten völkischen Größenwahn allerdings auch nicht. Nur wenn alle Anteile von Dostojewskis Werk, auch die abstoßenden, weiterhin oder neuerdings mitreflektiert werden, kann ein adäquates Bild seines Wirkens wie seiner einzelnen Texte gewonnen werden.

Schaut man auf Dostojewskis »fünf Elefanten«, die berühmten Romane mit den großen Lebensfragen, mag man kaum glauben, dass derselbe Autor die zarte Liebesgeschichte *Weiße Nächte* geschrieben hat, dieses Sommerstück, die leichtfüßige Ménage-à-trois, die sich fast nur in den Köpfen und Gesprächen zweier Figuren abspielt.

Anfang der 1840er Jahre in St. Petersburg: der junge Dostojewski brennt darauf, Schriftsteller zu werden. Seine Eltern sind tot, den Dienst als technischer Zeichner in der Armee gibt er auf, um sich ganz dem Schreiben zu widmen. Er ist bitterarm und wird es, auch aufgrund seiner Spielsucht, fast sein ganzes Leben lang bleiben. In seinem Debüt, dem 1846 publizierten Briefroman *Arme Leute*, schildert er eine tragische Liebesgeschichte, deren Protagonisten schwer unter materieller und moralischer Bedrückung leiden. Mit dem Text wird Dostojewski zum Shootingstar – wie er »kleine Leute« zu Romanhelden macht, ganz aus ihrer Perspektive und mit großer Empathie, ist etwas Neues. Die nächsten Veröffentlichungen werden von Kritik und Publikum weniger gut aufgenommen. Um seinen Erfolg zu sichern, experimentiert er mit Genres und Sujets. Eines dieser Experimente ist *Weiße Nächte*, vom 27-jährigen Dostojewski 1848 verfasst und in der Literaturzeitschrift »Vaterländische Annalen« publiziert. Die Kritiker halten den Text für einen Rückfall in die Romantik und sind nicht gerade begeistert.

Kein halbes Jahr später wird Dostojewski verhaftet. Er hat an Treffen des Petraschewzen-Kreises teilgenommen, und obwohl die regierungskritischen Intellektuellen dieses Zirkels keine konkreten Umsturzpläne hegen, werden sie wegen staatsfeindlicher Verschwörung in der Peter-und-Paul-Festung eingekerkert. Fünfzehn von ihnen, darunter Dostojewski, werden zum Tode verurteilt und erst nach einer Scheinhinrichtung begnadigt. Der Autor muss als Kettensträfling vier Jahre Zwangsarbeit im sibirischen Omsk ableisten, bleibt danach noch verbannt und kehrt erst 1859 nach Petersburg zurück. Diese Ereignisse teilen Dostojewskis Biographie wie eine Wasserscheide, auch weltanschaulich und politisch. Die Katorga habe ihn geläutert, so Dostojewski später, habe ihm das wahre Wesen des Menschen, Russlands, des orthodoxen Christentums nahegebracht; sein Aufbegehren gegen die zaristische Selbstherrschaft sei eine Verirrung gewesen. Noch in der Verbannung hat Dostojewski seine Reue und seinen Patriotismus in Gedichten ausgedrückt, 1878 wird er zum Erzieher der Zarensöhne bestellt. Dazwischen liegen lange Aufenthalte im Ausland, Familiengründung, ruinöse Spielsucht, sich verschlimmernde Epilepsie und die fieberhafte Arbeit an zahlreichen literarischen Texten; nahezu ungebrochen bleibt in diesen Jahrzehnten seine Loyalität zur zaristischen Autokratie.

Weiße Nächte gehört zu Dostojewskis Frühwerk. Der Autor lässt einen jungen Mann und ein junges Mädchen durch die Petersburger Weißen Nächte wandern (in Mai und Juni wird es in der »nördlichsten Metropole der Welt« nachts kaum dunkel), sie vertrauen einander ihre Geschichten an, kommen sich näher; die junge Nastenka wartet eigentlich auf die Rückkehr ihres Verlobten, doch als dieser Abend für Abend nicht auftaucht, scheinen die beiden jungen Menschen zueinander zu finden – bis Nastenkas Verlobter in der vierten Nacht ihrer Begegnungen doch noch erscheint. Der junge »Träumer« bleibt mit seiner Liebe allein zurück. Eine melancholische Ich-Erzählung über unerwiderte Liebe vor der zauberhaften Kulisse der Petersburger Weißen Nächte? Vom Moralverständnis Mitte des 19. Jahrhunderts geprägt und deshalb leicht und anmutig veraltet? Das auch, doch steckt in diesem Text sehr viel mehr, weshalb er sich bis auf den heutigen Tag mit Rührung, Begeisterung, gespanntem Interesse und Amüsement lesen lässt.

Neben der Liebe steht das große Thema Träumen und

Träumer im Zentrum der Erzählung, das Dostojewski auch in anderen Texten beschäftigt hat. Der Träumer leidet daran, nur zum Schein zu leben: seine ausufernden Fantasien schenken ihm Euphorie, Leidenschaft und bunte Vielfalt, aber weil das Erleben, die Gefühle nicht echt sind und sich deshalb auch die Vielfalt allmählich erschöpft, erwacht er nach jeder Fantasiereise ernüchtert und deprimiert. Wie diese Zyklen von Hingabe und bösem Erwachen beschrieben werden, das ähnelt frappierend der Dynamik von Suchtverhalten. »Verbrecherisch und sündig« nennt der Erzähler sein Leben. Einerseits. Andererseits schildert der Träumer seine Fantasien mit großartiger Beredsamkeit, seine Einbildungskraft manifestiert sich in seiner Sprachkunst, in Satzkaskaden, Sprachwitzen, schwungvollen Wiederholungsstrukturen. Eindeutig verurteilt wird das Träumen in der Erzählung also nicht. Vor allem wenn man bedenkt, dass *Weiße Nächte* womöglich eine weitere Träumerei schildert, die wie die anderen vom Träumer gar nicht erlebt wurde, dass die Novelle also nur eine besonders lebendige, besonders überzeugende Fantasie wiedergibt, die damit zu Literatur wird.

Über weite Strecken besteht *Weiße Nächte* aus reinem Dialog. Elegant und perspektivisch gebrochen entwickelt sich aus Fragen und Antworten, aus Selbstdarstellung, Beschreibung und Erzählung, also aus gesprochener Sprache, Handlung: Eigentlich ist das keine Prosa, sondern ein Dramentext. Bei dieser vor allem verbalen Beziehungsanbahnung (man mag fast an die sozialen Medien denken) nutzen beide Protagonisten zeitlose Taktiken wie Suggestion, Rollen-

spiel und Überwältigung; ambivalente, komplexe Gefühle
(»Warum ist er – nicht Sie?«) erinnern an Ich-Konzepte der
literarischen Moderne. Darüber hinaus erzeugt das dialogi-
sche Prinzip eine lebendige Vielfalt von Stimmen. Nastenkas
umgangssprachliche Redeweise (beim Erzählen ihrer Geschichte oder in den verzweifelten Ausbrüchen der dritten
und vierten Nacht) kontrastiert stark mit dem hohen Ton in
den Monologen des Träumers. Sogar die pfiffige Babuschka
hat ein eigenes Sprachprofil.

Auch innerhalb der individuellen Stimmen gibt es unterschiedliche Tonlagen, sogar Brüche. Von Michail Bachtin
stammt die Theorie, Dostojewski habe den polyphonen Roman begründet. Damit ist in erster Linie gemeint, dass keine
Autoren- oder Erzählinstanz die gedankliche, moralische und
emotionale Vielstimmigkeit in seinen Texten auffängt oder
ausgleicht. Das betrifft auch die immanente Mehrstimmig-
keit einer Figur. Dostojewskis Protagonisten erforschen und
hinterfragen sich exzessiv selbst, ohne je zu einem Schluss
zu kommen; eine objektive Perspektive (wie etwa bei Tols-
toi) existiert nicht. Das macht die Textoberfläche der großen
Romane so fiebrig und nervös. Doch auch schon in *Weiße
Nächte* scheint der Träumer-Erzähler nie so recht zu wissen,
woran er bei Nastenka und auch bei sich selber eigentlich ist.
Ganz folgerichtig beschließt den Kurzroman eine Frage – sie
scheint rhetorisch zu sein, aber bei näherer Betrachtung ist
sie nicht eindeutig zu beantworten. Ist eine Stunde Seligkeit
wirklich genug für ein ganzes Leben? Es gibt Äußerungen
des Träumers, die für das Gegenteil sprechen.

In die Stimmen des Textes mischen sich auch solche aus der Literatur – man denke nur an Nastenkas Lektüre, die sie dem Mieter zu verdanken hat und die ihr, wie die Oper, neue Welten eröffnet. Befragt nach dem Stoff seiner Fantasien, zählt der Träumer etliche Romanfiguren auf (hauptsächlich aus Werken des damals sehr populären Walter Scott) oder spielt auf Alexander Puschkins Poem *Das Häuschen in Kolomna* an. Literarische Motive sind auch an anderer Stelle präsent: Der Brief, den er für Nastenka entwirft, zitiert mit seinem Beginn »Ich schreibe Ihnen!« Puschkins Versroman *Eugen Onegin* und verknüpft so dessen ikonische Heldin Tatjana mit Nastenka; der verwilderte Garten, der grimmige alte Ehemann und der Maskenball in Rom sind – in Klammerkommentaren ironisierte – literarische Versatzstücke; der ungebetene Herr, der Nastenka verfolgt, scheint einer trivialen Genreszene entsprungen zu sein; Opernszenen oder -motive stiften Beziehungen zwischen den Protagonisten. Zudem benutzen, bei aller stilistischen Vielfalt, der Träumer und Nastenka die gleichen sprachlichen (literarischen) Klischees (so etwa die inflationäre Erwähnung des getroffenen, übervollen, zerrissenen, verratenen oder brüderlich geöffneten Herzens). Literarische Muster durchdringen die scheinbare Authentizität des Berichts und verweisen auf seine Gemachtheit als Text.

Diese Ambiguität wird in erster Linie von der Doppelrolle des Träumers erzeugt. Er ist handelnde Figur, ins Geschehen verstrickt, von Gefühlen überwältigt, den Ereignissen ausgeliefert, aber er fungiert gleichzeitig als Verfasser der *Erinnerungen eines Träumers*, der die eigene Rede und die der anderen Figuren sprachlich gestaltet, den Überblick behält und die Fäden zieht. In den ersten Nächten hat es den Anschein, der Erzähler schriebe unmittelbar unter dem Eindruck des Geschehens, im Kapitel »Der Morgen« aber springt die Perspektive in einem beiläufig nachgeschalteten Satz fünfzehn Jahre in die Zukunft, und wir erfahren, dass er als gealterter Mann auf die Geschichte zurückblickt. Die unterschiedlichen Rollen und Stimmen des Erzählers sind im Grunde unvereinbar und dennoch miteinander verschränkt, die Reibung zwischen ihnen bringt den Text zum Schillern: Nichts ist eindeutig, alles ist doppelbödig, vieles ist möglich. Hat der Träumer-Erzähler auch die Begegnung mit Nastenka nur herbeifantasiert? Wird in *Weiße Nächte* die Entstehung von Literatur aus Fantasie plus Literatur ironisch vorgeführt? Nimmt der weltverlorene Träumer die Protagonisten existenzialistischer Romane vorweg? Überwindet Nastenka die Scheinhaftigkeit, oder fällt sie ihr umgekehrt zum Opfer?

Man könnte sich vorstellen, dass all die feinen konstitutiven Brüche, die die Unmittelbarkeit des Erzählens, das romantische Setting und den dramatischen Plot dezent erschüttern und unterlaufen, den Text so fluide und durchlässig machen, dass sie Luft und Raum schaffen für ganz unterschiedliche Lesarten von *Weiße Nächte*. Die proteische Vieldeutigkeit dürfte es ebenfalls sein, die der Novelle auch nach über 170 Jahren ihre flirrende Energetik und Lebendigkeit schenkt. Und uns Lesenden deshalb reichen Gewinn und großen Genuss.

Christiane Körner, Mai 2024

Die Übersetzung folgt der Ausgabe F. M. Dostoevski:
Polnoe sobranie sočinenij i pisem v tridzati pjati tomach,
Tom 2: *Povesti i rasskazy 1847-1859*, Sankt-Petersburg 2014.
Die Übersetzerin dankt dem Deutschen Übersetzerfonds
für die großzügige Unterstützung.

Erste Auflage 2024. © Insel Verlag Anton Kippenberg GmbH & Co. KG,
Berlin, 2024. Für die Illustrationen © Stella Dreis, vermittelt durch die
Agentur Susanne Koppe, www.auserlesen-ausgezeichnet.de. Alle Rechte
vorbehalten. Wir behalten uns auch eine Nutzung des Werks für Text und
Data Mining im Sinne von § 44b UrhG vor. Bezugspapier: Stella Dreis.
Gesetzt in der Schrift Dante MT. Gedruckt auf holzfreies, alterungsbe-
ständiges Werkdruckpapier der Firma LENK Paper Schleipen GmbH,
Bad Dürkheim, von der Memminger MedienCentrum AG, Memmin-
gen. Gebunden in Fadenheftung von der Conzella Verlagsbuchbinderei
GmbH & Co. KG, Aschheim-Dornach. Dieses Buch wurde klimaneutral
produziert: climatepartner.com/14438-2110-1001. Printed in Germany.
ISBN 978-3-458-19537-5. www.insel-verlag.de